Ligados.com Geografia 3

Angela Rama
Mestre em Geografia pela Universidade de São Paulo (USP)
Bacharel e licenciada em Geografia pela Universidade de São Paulo (USP)
Professora das redes particular e pública de ensino

Marcelo Moraes Paula
Bacharel e licenciado em Geografia pela Universidade de São Paulo (USP)
Professor das redes particular e pública de ensino

Editora Saraiva

Ligados.com Geografia – 3º ano (Ensino Fundamental – Anos iniciais)
© Angela Rama, Marcelo Moraes Paula, 2015

Direitos desta edição:
Saraiva Erducação Ltda., São Paulo, 2015
Todos os direitos reservados

Dados Internacionais de Catalogação na Publicação (CIP)
(Câmara Brasileira do Livro, SP, Brasil)

Rama, Angela
  Ligados.com : geografia, 3º ano : / Angela Rama, Marcelo Moraes Paula. – 2. ed. – São Paulo : Saraiva, 2015.

  Suplementado pelo manual do professor.
  Bibliografia
  ISBN 978-85-02-63008-6 (aluno)
  ISBN 978-85-02-63012-3 (professor)

  1. Geografia (Ensino fundamental)
  I. Paula, Marcelo Moraes. II. Título.

15-02549   CDD-372.891

Índices para catálogo sistemático:
1. Geografia : Ensino fundamental   372.891

Gerente editorial	M. Esther Nejm
Editor responsável	Luciana Leopoldino
Editor	Érica Lamas
Coordenador de revisão	Camila Christi Gazzani
Revisores	Ana Marson, Lilian Miyoko Kumai, Sueli Bossi
Coordenador de iconografia	Cristina Akisino
Pesquisa iconográfica	Thiago Fontana
Gerente de artes	Ricardo Borges
Coordenador de artes	Aderson Oliveira
Design	Homem de Melo & Troia Design
Capa	Luis Vassalo com imagem de Alida Massari/Advocate Art
Diagramação	Benedito Reis, Edilson Pauliuk, Elis Regina de Oliveira, Josiane Batista de Oliveira, Lisandro Paim Cardoso, Simone Zupardo
Cartografia	Mário Yoshida, Sonia Vaz
Ilustrações	Biry Sarkis, Carlos Bourdiel, Edde Wagner, Hagaquezart estúdio, Lettera Studio, Ligia Duque, Mozart Couto, PriWi, Paulo Manzi
Produtor gráfico	Robson Cacau Alves
Impressão e acabamento	Bercrom Gráfica e Editora

577.908.002.005

O material de publicidade e propaganda reproduzido nesta obra está sendo utilizado apenas para fins didáticos, não representando qualquer tipo de recomendação de produtos ou empresas por parte do(s) autor(es) e da editora.

SAC 0800-0117875
De 2ª a 6ª, das 8h30 às 19h30
www.editorasaraiva.com.br/contato

Avenida das Nações Unidas, 7221 – 1º Andar – Setor C – Pinheiros – CEP 05425-902

CONHEÇA O SEU LIVRO

Unidade

Seu livro tem oito unidades. As páginas de abertura introduzem o trabalho que será desenvolvido em cada unidade. Nelas, você é convidado a observar os elementos da imagem e relacioná-los com seus conhecimentos sobre o tema ou com seu dia a dia.

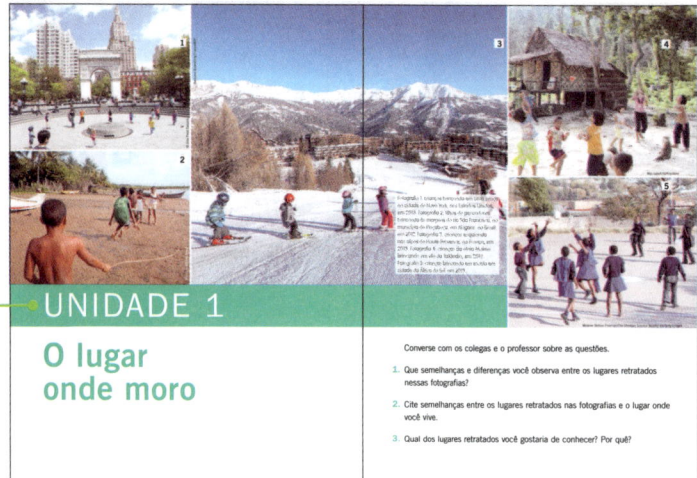

Capítulo

Cada unidade apresenta dois capítulos que exploram e desenvolvem os conteúdos e conceitos estudados. Cada capítulo é composto de seções, nas quais você desenvolve atividades variadas, escritas e orais, individuais, em dupla ou em grupo.

Muitos temas começam com questões para que você tenha oportunidade de pensar sobre o assunto que será tratado e trocar ideias com seus colegas a respeito dele.

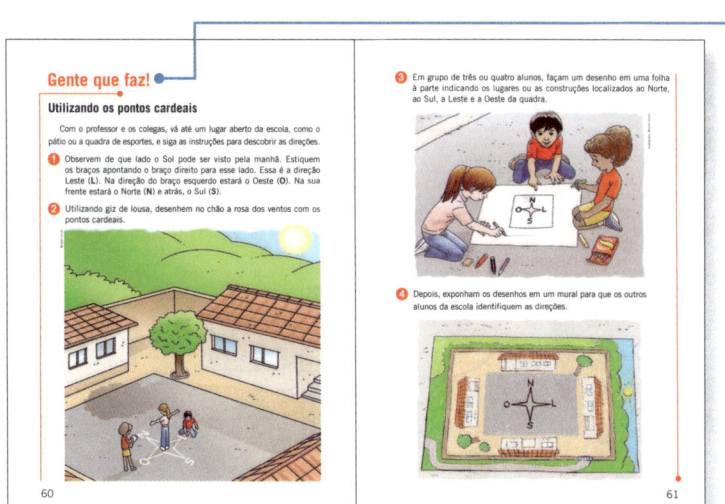

Gente que faz!

Nesta seção, você exercita sua criatividade e habilidade, individualmente ou em grupo, ao realizar atividades de cartografia, produção de textos, murais e pesquisas.

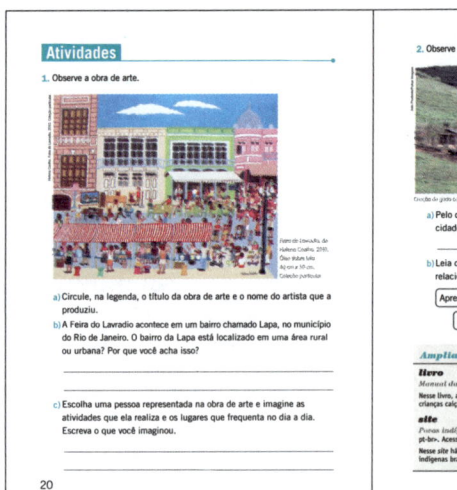

Ampliando horizontes…

Cada unidade apresenta sugestões de livros, revistas, músicas, filmes ou *sites* que permitem enriquecer ou ampliar os assuntos abordados.

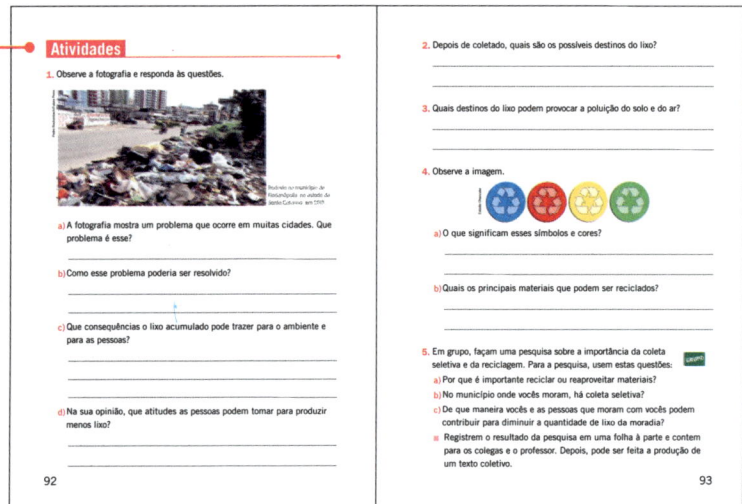

Atividades

As atividades vão ajudar você a retomar e ampliar os principais assuntos estudados na unidade.

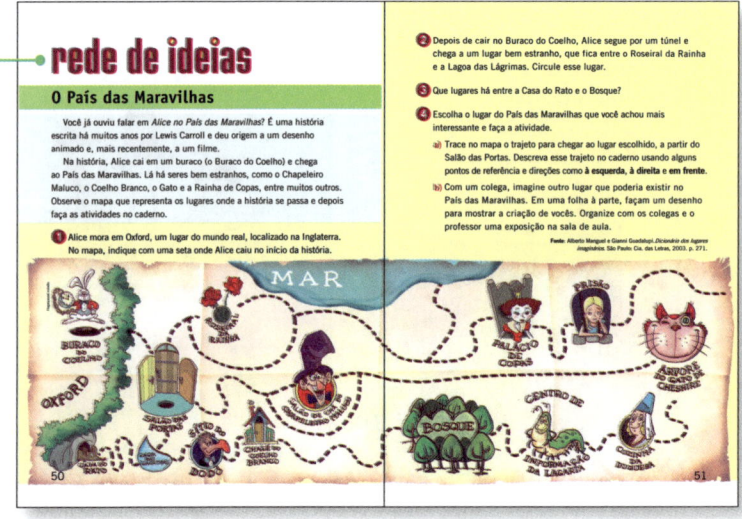

Rede de ideias

Esta seção retoma conceitos trabalhados na unidade e os desenvolve em conexão com outras áreas do saber.

Qual é a pegada?

Nesta seção você vai perceber que atitudes no dia a dia podem ajudar a preservar o lugar em que vivemos e construir um futuro melhor. Você também vai refletir sobre valores e atitudes que contribuem para sua formação como cidadão.

Glossário

Algumas expressões ou termos considerados mais complexos são explicados próximo do texto correspondente.

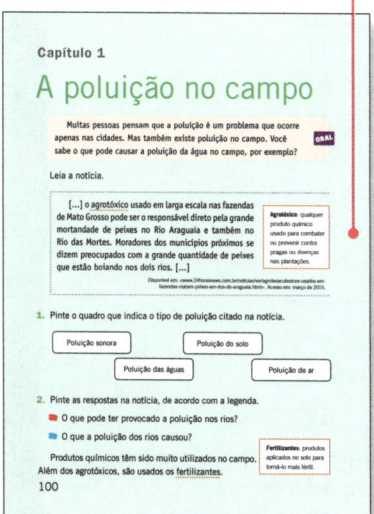

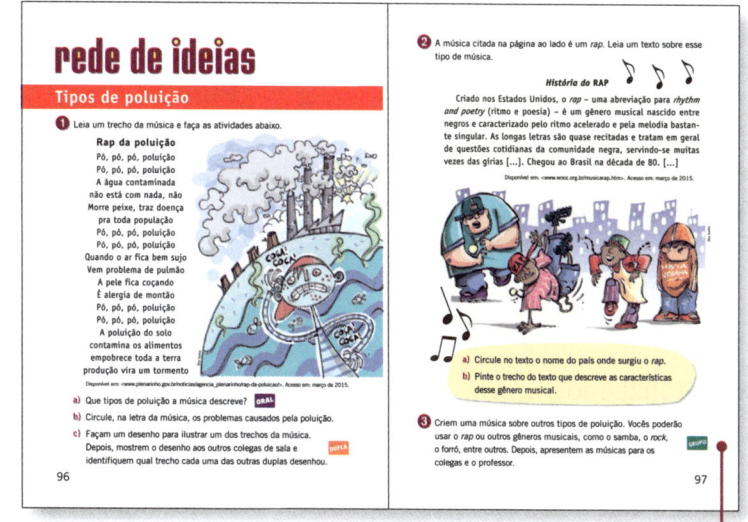

Material complementar e Adesivos

O final do livro traz um encarte com fichas e imagens para serem destacadas e utilizadas em algumas atividades.

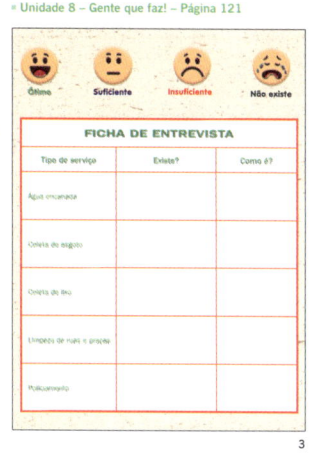

Significado dos ícones

Ao longo do livro você vai ser convidado a realizar várias atividades. Em algumas delas, fique atento às orientações dadas por estes ícones:

SUMÁRIO

UNIDADE 1
O lugar onde moro 8

1. Lugares do dia a dia 10
Localização do bairro 12
2. Campo e cidade 16
Atividades 20
Ampliando horizontes... 21
Rede de ideias – Cultura caiçara 22
Qual é a pegada? – Preservação 24

UNIDADE 2
Representação dos lugares 26

1. Tipos de representação 28
A maquete 30
Gente que faz! – Construindo uma maquete 31
2. Pontos de vista 32
Ponto de vista vertical 34
Atividades 36
Ampliando horizontes... 37
Rede de ideias – Paisagens antigas do Brasil 38

UNIDADE 3
A localização 40

1. Endereço e ponto de referência 42
2. Encontrando endereços 44
O GPS e o guia de ruas 47
Atividades 48
Ampliando horizontes... 49
Rede de ideias – O País das Maravilhas 50
Qual é a pegada? – Feira de troca 52

UNIDADE 4
Orientação no espaço 54

1. Os pontos cardeais 56
2. Encontrando as direções 58
Gente que faz! – Utilizando os pontos cardeais 60
Atividades 62
Ampliando horizontes... 63
Rede de ideias – Pombos-correio e a bússola 64

UNIDADE 5
A transformação da paisagem 66

1. A paisagem 68
2. A paisagem se transforma 72
Seres humanos e natureza 73
O passado e o presente na paisagem 74
Gente que faz! – Organizando um painel fotográfico 75
Atividades 76
Ampliando horizontes... 77
Rede de ideias – Transformações na paisagem e nos esportes 78
Qual é a pegada? – Áreas verdes 80

UNIDADE 6
Preservação do ambiente na cidade 82

1. O lixo 84
Destinos do lixo 86
2. A poluição nas cidades 88
Poluição do ar 88
Poluição visual e sonora 89
Poluição da água 90
Atividades 92
Ampliando horizontes... 95
Rede de ideias – Tipos de poluição 96

UNIDADE 7
Preservação do ambiente no campo 98

1. A poluição no campo 100
2. Desmatamento e solo 102
Desmatamento e erosão 102
Assoreamento 103
Empobrecimento do solo 103
Atividades 104
Ampliando horizontes... 105
Rede de ideias – O desmatamento e a extinção de animais 106
Qual é a pegada? – Preservação 110

UNIDADE 8
Os serviços públicos 112

1. Serviços públicos 114
Tratamento e distribuição da água 114
Fornecimento de energia elétrica 116
Saúde pública 117
2. Quem paga pelos serviços públicos? 118
Gente que faz! – Os serviços públicos no lugar onde moro 121
Atividades 122
Ampliando horizontes... 123
Rede de ideias – Serviços públicos no Brasil 124
Material Complementar e Adesivos

UNIDADE 1

O lugar onde moro

Fotografia 1: crianças brincando em uma praça na cidade de Nova York, nos Estados Unidos, em 2013. Fotografia 2: filhos de pescadores brincando às margens do rio São Francisco, no município de Piaçabuçu, em Alagoas, no Brasil, em 2012. Fotografia 3: crianças esquiando nos alpes de Haute-Provence, na França, em 2013. Fotografia 4: crianças da etnia Moken brincando em vila da Tailândia, em 2012. Fotografia 5: crianças brincando em escola em cidade da África do Sul, em 2013.

Converse com os colegas e o professor sobre as questões.

1. Que semelhanças e diferenças você observa entre os lugares retratados nessas fotografias?

2. Cite semelhanças entre os lugares retratados nas fotografias e o lugar onde você vive.

3. Qual dos lugares retratados você gostaria de conhecer? Por quê?

Capítulo 1
Lugares do dia a dia

Que atividades você faz no seu dia a dia? Como são os lugares aonde você costuma ir e as pessoas que você encontra durante o dia?

Observe algumas atividades que Luana faz no seu dia a dia no bairro onde mora.

Vista de escola no bairro do Rio Vermelho, no município de Salvador, no estado da Bahia, em 2014.

Vista de praia no bairro do Rio Vermelho em mês de verão, no município de Salvador, no estado da Bahia, em 2014.

Fachada de comércio de flores no bairro do Rio Vermelho, no município de Salvador, no estado da Bahia, em 2014.

Interior da moradia de Luana, no bairro do Rio Vermelho, no município de Salvador, no estado da Bahia, em 2014.

1. Que lugares Luana frequenta no dia a dia?

_____

2. O que Luana faz no seu dia a dia?

_____

_____

3. Em uma folha à parte, desenhe duas atividades que você realiza no seu dia a dia. Escreva o nome dos lugares em que realiza essas atividades.

Localização do bairro

Luana mora no Rio Vermelho, que é um bairro de Salvador. Salvador é um município localizado no estado da Bahia. Observe a localização nos mapas.

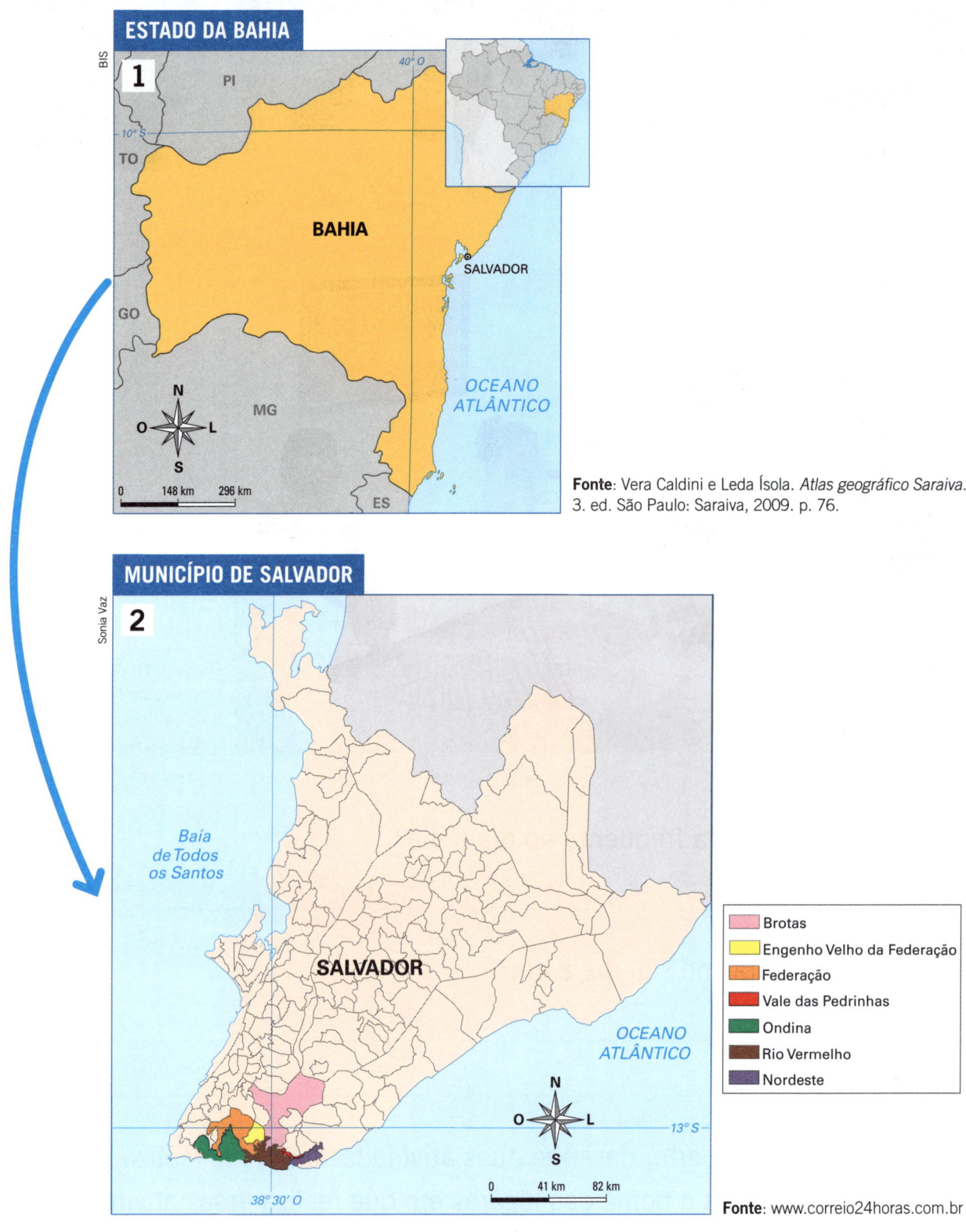

Fonte: Vera Caldini e Leda Ísola. *Atlas geográfico Saraiva*. 3. ed. São Paulo: Saraiva, 2009. p. 76.

Fonte: www.correio24horas.com.br

4. Salvador e outros municípios da Bahia têm muitas praias. Isso acontece porque eles se localizam no litoral, que é o trecho de terra que se localiza próximo a um mar ou oceano. Observe a fotografia.

Praia da Barra, no município de Salvador, no estado da Bahia, em 2013.

■ Que praia de Salvador foi retratada?

_____

5. Circule no mapa 1 o nome do oceano.

6. Circule no mapa 2 o nome do bairro em que Luana mora.

7. O bairro do Rio Vermelho está localizado entre quais bairros?

_____

_____

8. Quais desses bairros não são banhados pelo oceano Atlântico?

_____

9. O município onde você mora se localiza no litoral? Se a resposta for sim, pesquise e escreva o nome de uma das praias.

_____

10. Escreva o nome de dois bairros do município onde você mora.

_____

11. Agora observe a localização do estado da Bahia no mapa do Brasil. Depois, faça as atividades.

Fonte: IBGE. *Atlas geográfico escolar*. 5. ed. Rio de Janeiro: IBGE, 2009. p. 90.

a) Circule, no mapa, o estado da Bahia.

b) Os estados de Sergipe, Alagoas e Pernambuco, por exemplo, são vizinhos do estado da Bahia. Observe o mapa e escreva o nome de outro estado vizinho ao estado da Bahia.

_____

c) Os países próximos ao Brasil foram pintados de cinza claro no mapa. Escreva o nome de dois desses países.

_____

_____

d) Agora, circule no mapa o estado onde você mora. Depois, escreva o nome de um estado ou de um país vizinho ao estado onde você mora.

_____

12. Complete o quadro com os nomes dos lugares onde você mora. Veja como Luana fez.

Lugares	Onde Luana mora	Onde eu moro
Bairro	Rio Vermelho	
Município	Salvador	
Estado	Bahia	
País	Brasil	

13. Agora, observe a localização do Brasil e de alguns outros países no mundo.

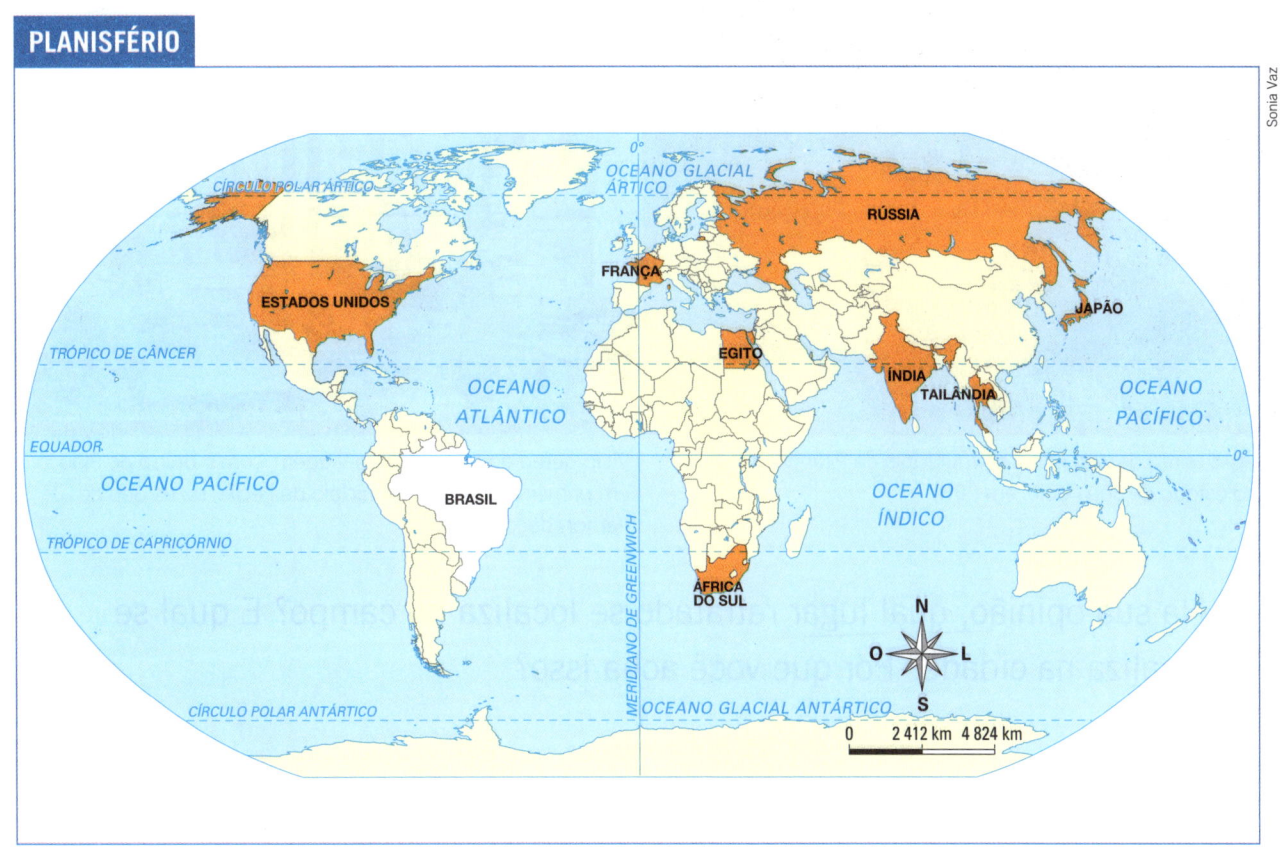

Fonte: Vera Caldini e Leda Ísola. *Atlas geográfico Saraiva*. 3. ed. São Paulo: Saraiva, 2009. p. 164.

a) Pinte o Brasil de laranja.

b) Observe novamente a abertura da unidade (páginas 8 e 9) e circule no mapa os nomes dos países que aparecem nas fotografias.

15

Capítulo 2

Campo e cidade

> No lugar onde você mora existem muitas ou poucas construções? Há prédios e muitos veículos nas ruas? Há áreas com plantações e de criação de animais?

Observe as fotografias.

Vista aérea de zona rural no município de Pilar do Sul, no estado de São Paulo, em 2011.

Vista aérea da praia de Boa Viagem, com o bairro do Pina em primeiro plano, no município de Recife, no estado de Pernambuco, em 2013.

1. Na sua opinião, qual lugar retratado se localiza no campo? E qual se localiza na cidade? Por que você acha isso?

_____

_____

> No campo, também chamado de **área rural**, geralmente há muitas plantações, criação de animais e poucas construções. Na cidade, que também chamamos de **área urbana**, há uma concentração maior de construções, como casas, prédios, ruas e avenidas.

2. O lugar onde você mora está localizado:

☐ na cidade.   ☐ no campo.

Em uma mesma cidade podem ser encontrados bairros bastante diferentes uns dos outros. Observe com atenção as fotografias.

Há bairros em que a maior parte das construções são moradias, como no bairro Bacacheri, retratado na fotografia ao lado, de 2014, no município de Curitiba, no estado do Paraná.

Fotografias: Pires do Prado

Alguns bairros são ocupados principalmente por lojas, bancos, escritórios, entre outros estabelecimentos comerciais. Muitos moradores de outros bairros se deslocam até esses para fazer compras, trabalhar e se divertir. Na fotografia, centro do município de Curitiba, no estado do Paraná, em 2014.

3. Escreva uma diferença entre os bairros das fotografias.

_____

_____

4. O lugar onde você mora é parecido com algum dos bairros retratados? Se sim, que semelhanças há entre eles? Se não for parecido, quais as diferenças?

_____

_____

No Brasil, o campo também possui diferentes paisagens. Observe as fotografias.

Município de Gaúcha do Norte, no estado do Mato Grosso, em 2012.

Município de Sertãozinho, no estado de São Paulo, em 2013.

Município de Flores da Cunha, no estado do Rio Grande do Sul, em 2010.

Município de Severiano Melo, no estado do Rio Grande do Norte, em 2011.

5. Observe novamente as fotografias e escreva, nos quadrinhos, o número de cada uma, de acordo com a informação.

☐ Hotel fazenda, local onde as pessoas desfrutam momentos de lazer e descanso.

☐ Aldeia indígena do povo Yawalapiti, às margens do rio Xingu.

☐ Plantação de feijão em pequena propriedade rural.

☐ Usina produtora de açúcar e álcool.

6. Cole no espaço a seguir uma imagem retirada de jornal, revista ou da internet que mostre um lugar no campo ou na cidade. **RECORTE E COLE**

■ Com um colega, observem a imagem e descrevam o lugar. Na opinião de vocês, esse lugar se parece com o lugar onde vocês moram? Conversem sobre isso. **DUPLA**

_____
_____
_____

19

Atividades

1. Observe a obra de arte.

Feira do Lavradio, de Helena Coelho, 2010. Óleo sobre tela, 40 cm x 50 cm. Coleção particular.

a) Circule, na legenda, o título da obra de arte e o nome do artista que a produziu.

b) A Feira do Lavradio acontece em um bairro chamado Lapa, no município do Rio de Janeiro. O bairro da Lapa está localizado em uma área rural ou urbana? Por que você acha isso?

_____

_____

c) Escolha uma pessoa representada na obra de arte e imagine as atividades que ela realiza e os lugares que frequenta no dia a dia. Escreva o que você imaginou.

_____

_____

2. Observe a fotografia.

Criação de gado com plantação de café ao fundo, no município de Caconde, no estado de São Paulo, em 2012.

a) Pelo que você pode observar, o lugar retratado fica no campo ou na cidade?

_____

b) Leia o que está escrito nos quadros e pinte as frases que estão relacionadas à paisagem desse lugar.

| Apresenta poucas construções. | Apresenta muitas ruas e pontes. |

| Na paisagem veem-se criação de animais e plantação. |

Ampliando horizontes...

livro

Manual da criança caiçara, de Marie Ange Bordas, Peirópolis.

Nesse livro, a autora conta histórias e fala a respeito de brincadeiras e festas comuns entre as crianças caiçaras.

site

Povos indígenas no Brasil Mirim. Disponível em: <http://pibmirim.socioambiental.org/pt-br>. Acesso em: março de 2015.

Nesse *site* há diversas informações sobre o lugar de vivência e o cotidiano de inúmeros povos indígenas brasileiros. Há jogos e brincadeiras indígenas bem legais.

rede de ideias

Cultura caiçara

1 Observe as fotografias, leia o texto e faça as atividades.

Quem são os caiçaras?

Os caiçaras são grupos de brasileiros que vivem no litoral, principalmente dos estados de São Paulo, Rio de Janeiro e Paraná. Em geral vivem em pequenas comunidades onde a pesca é a principal fonte de renda e alimentos. Gostam de contar histórias, andar na mata e fazer farinha da mandioca cultivada no quintal de casa, entre outras coisas. Os caiçaras possuem muitos conhecimentos sobre como orientar-se pelo vento e pelas estrelas na navegação e sobre vários tipos de peixe e outros animais marinhos.

Crianças caiçaras brincando na comunidade de Armação das Baleias, no município de Guarujá, no estado de São Paulo, em 2014.

Menino em canoa em comunidade caiçara no município de Bertioga, no estado de São Paulo, em 2014.

Litoral: lugar que fica próximo ao mar.

a) Pinte as respostas no texto de acordo com a legenda.
- 🟨 Onde vivem os caiçaras?
- 🟥 Que atividades os caiçaras desenvolvem no dia a dia?
- 🟩 Que conhecimentos se destacam entre os caiçaras?

b) A **mandioca** tem nomes diferentes em outros lugares do Brasil. Procure essa palavra em um dicionário e descubra esses nomes.

___
___

2 Leia o texto, observe a fotografia e faça as atividades.

O fandango caiçara é um baile popular ao som de viola e outros instrumentos, com danças de roda e sapateadas que revela o dia a dia e o estilo de vida das comunidades caiçaras e de muitas pessoas que vivem no litoral. Essa manifestação cultural é encontrada, principalmente, nos municípios de Iguape e Cananeia, no litoral paulista, e Guaraqueçaba, Paranaguá e Morretes, no Paraná. Os caiçaras comemoram com o fandango os aniversários, casamentos, batizados e festas religiosas.

Fonte: <http://portal.iphan.gov.br>.
Acesso em: junho de 2014.

Baile de fandango no Mercado do Café, no município de Paranaguá, no estado do Paraná, em 2012.

a) Sublinhe no texto o que é o fandango caiçara.

b) Circule no texto os nomes dos municípios onde ocorre esse baile.

c) Em sua opinião, o fandango caiçara promove a convivência entre as pessoas? Por quê?

3 O fandango caiçara é um baile tradicional, ou seja, passado de geração a geração. No município ou estado onde você vive, há danças e músicas tradicionais?

- Faça uma pesquisa e procure descobrir o nome da dança ou da música, como é dançada ou tocada e se ocorre em festas.
- Depois, com a ajuda do professor, você e seus colegas vão montar um mural com imagens e algumas frases sobre o que pesquisaram.

23

QUAL É A preservação PEGADA?

Praça ecológica

Uma praça bonita e bem cuidada é um convite para passear e brincar com os amigos! E se for uma praça que ajuda a preservar o meio ambiente, melhor ainda! Assim é uma praça ecológica.

Para que a praça seja frequentada por todos, alguns aspectos são importantes, tais como:

- Jardim das sensações, onde as pessoas podem sentir o sabor dos temperos e o cheiro das flores e da terra e ouvir o canto dos pássaros. O jardim das sensações é muito apreciado pelos deficientes visuais.
- Rampas de acesso para cadeirantes e outros deficientes.
- Placas em braile para deficientes visuais.

As "cercas" são feitas com garrafas plásticas recicláveis. Na fotografia, cerca no município de Maceió, no estado de Alagoas, em 2010.

1. Destaque as imagens dos **Adesivos** e cole-as de acordo com as legendas correspondentes. **COLE**

2. No bairro ou no município onde você mora, há praças e parques para passear e brincar? Se houver, eles têm aspectos de uma praça ecológica? **ORAL**

Balanço feito com pneu usado, no município de Itu, no estado de São Paulo, em 2010.

Brinquedos feitos com madeiras reaproveitadas de outras construções. Na fotografia, Parque de Madureira, na cidade do Rio de Janeiro, no estado do Rio de Janeiro, em 2013.

3. Pesquisem outros lugares (praças, parques, moradias, escolas e outros) nos quais há a preocupação com o meio ambiente. Depois, produzam um cartaz com imagens e informações sobre esses lugares. Apresentem o trabalho para os colegas e o professor.

GRUPO

Estação — Centro de Visitantes
- 01 Estacionamento - *Veículos e ônibus.*
- 02 Bilheterias - *Venda de ingressos e cobrança de taxa de estacionamento.*
- 03 Balcão de Informações Turísticas
- 04 Loja de Lembranças - *Produtos oficiais do Parque.*
- 05 Helisul - *Passeio de Helicóptero*

Parada — Administração do PNI
- 06 Escola Parque - *Educação Ambiental.*
- 07 Polícia Ambiental Força Verde
- 08 Sede Administrativa do Parque - *ICMBio*

Parada — Trilha do Poço Preto
- 09 Trilha do Poço Preto - *Ecoaventura, trilha de 9km que pode ser percorrida a pé, de bicicleta ou carretinha apreciando a fauna e flora do Parque.*

Parada — Macuco Safari
- 10 Macuco Safari - *Passeio de barco.*
- 11 Trilha das Bananeiras - *Passeio Ecológico.*

Parada — Trilha das Cataratas
- 12 Campo de Desafios - *Arvorismo, escalada, rapel e rafting.*
- 13 Trilha das Cataratas
- 14 Hotel das Cataratas
- 15 Espaço Naipi - *Loja de lembranças, banheiros e quiosques.*

Estação — Espaço Porto Canoas
- 16 Ambulatório - *Atendimento emergencial de primeiros socorros.*
- 17 Loja de Lembranças - *Produtos oficiais do Parque.*
- 18 Central de Serviços - *Telefonia, fotos digitais e acesso à internet.*
- 19 Praça de Alimentação - *Lanchonete e cafeteria.*
- 20 Restaurante Porto Canoas

Cataratas do Iguaçu S/A

UNIDADE 2
Representação dos lugares

Mapa turístico do Parque Nacional do Iguaçu, no município de Foz de Iguaçu, no estado do Paraná.

Converse com os colegas e o professor sobre as questões.

1. Na sua opinião, como esse mapa pode ser útil aos turistas que visitam o Parque Nacional do Iguaçu?

2. Na sua opinião, por que esse lugar atrai muitos turistas?

3. Se você fosse visitar o Parque Nacional do Iguaçu, que atividades gostaria de fazer?

Capítulo 1
Tipos de representação

Se alguém lhe pedisse para representar o lugar onde você mora, como você o representaria?

Veja como Camila representou o lugar onde mora.

Desenho feito por Camila da rua onde mora.

Jassanã e seus amigos, que pertencem ao povo Pataxó, também fizeram um desenho para representar o lugar onde moram. Veja.

Pataxó: povo indígena que vive atualmente em aldeias nos estados da Bahia e de Minas Gerais.

Desenho feito por crianças da aldeia Pataxó para representar o lugar onde moram.

1. Camila mora no campo ou na cidade? Por que você acha isso?
_____
_____

2. O que você observa no desenho feito por Jassanã e seus amigos?
_____
_____

3. Qual desses lugares mais se parece com o lugar onde você vive? Por que você acha isso?
_____

4. Observe a obra de arte.

Vista do Rio de Janeiro, de Lia Mittarakis, 1986. Óleo sobre tela, 120 cm × 140 cm.

a) Como a artista representou o Rio de Janeiro?

b) Na sua opinião, ela quis mostrar características boas desse lugar? Por que você acha isso?

5. Em uma folha à parte, faça um desenho dos arredores da sua moradia.

A maquete

Observe esta maquete.

Fotografia da maquete de um bairro.

A **maquete** representa um objeto ou um espaço, geralmente em tamanho reduzido, ou seja, menor do que é na realidade.

Converse com os colegas sobre estas questões.

6. Que lugar foi representado nessa maquete?

7. De que cor é o prédio mais alto?

8. Quantas escolas há no lugar representado?

9. Além de prédios e escolas, que outros elementos existem nesse lugar?

Gente que faz!

Construindo uma maquete

Em grupo, vocês vão construir uma maquete de uma cidade imaginária.

Materiais

- Caixinhas de papelão de vários tamanhos: de creme dental, de remédios, entre outras.
- Palitos de sorvete para confeccionar árvores, postes e semáforos.
- Papéis de diferentes cores para encapar construções e representar ruas, rio e grama.
- Lápis de cor ou canetinhas coloridas, cola, tesoura sem ponta.

Etapa 1

Conversar sobre como será a cidade e o que vocês vão representar, como: prédios, casas, rios, árvores, entre outros.

Etapa 2

Escolher os materiais que serão utilizados para fazer as miniaturas dos elementos que há na cidade que vocês imaginaram.

Etapa 3

Desenhar na base da maquete as ruas e as áreas abertas, como praças e parques.

Etapa 4

Colocar as miniaturas na base da maquete de acordo com a localização que vocês imaginaram. Vocês podem colocar placas de sinalização e escrever nomes de ruas e de estabelecimentos comerciais em etiquetas que serão coladas na maquete.

Capítulo 2
Pontos de vista

Um objeto, ou uma paisagem, pode parecer diferente dependendo do lugar de onde o observamos?

Observe estas imagens de parte de um bairro.

1. Complete com o número da imagem.

   a) Em qual imagem o bairro é visto:

   ☐ de frente?   ☐ de cima para baixo?

   ☐ do alto e de frente?

   b) Em qual (quais) das imagens é possível observar:

   ☐ janelas e portas?   ☐ todo o telhado das construções?

2. Em qual dos pontos de vista você conseguiu identificar os elementos da paisagem com mais facilidade? Explique. **ORAL**

> As diferentes posições de onde se olha uma paisagem, uma construção, um objeto ou uma pessoa chamam-se **pontos de vista**. O ponto de vista pode ser:
> - **frontal**: é como se você estivesse em frente à paisagem.
> - **oblíquo**: é como se você estivesse observando a paisagem do alto e de frente, de maneira inclinada.
> - **vertical**: é como se você estivesse vendo a paisagem de cima para baixo.

3. Destaque as cartas do jogo da memória das páginas 13 e 15 do **Material Complementar**. Em grupo, embaralhem e espalhem as cartas em uma mesa, viradas para baixo. Encontrem os pares que mostram o mesmo objeto ou paisagem em diferentes pontos de vista.

4. Agora é a sua vez!

   a) Recorte de revistas ou pesquise na internet fotografias de paisagens vistas de diferentes pontos de vista: frontal, oblíquo e vertical. Cole os recortes em uma folha à parte. **RECORTE E COLE**

   b) Escreva próximo a cada fotografia o ponto de vista utilizado.

   c) Mostre o seu trabalho para os colegas da sala e conversem sobre o que vocês descobriram ao realizar essa atividade.

Ponto de vista vertical

Observe o bairro Barra da Tijuca, na cidade do Rio de Janeiro.

Google Earth

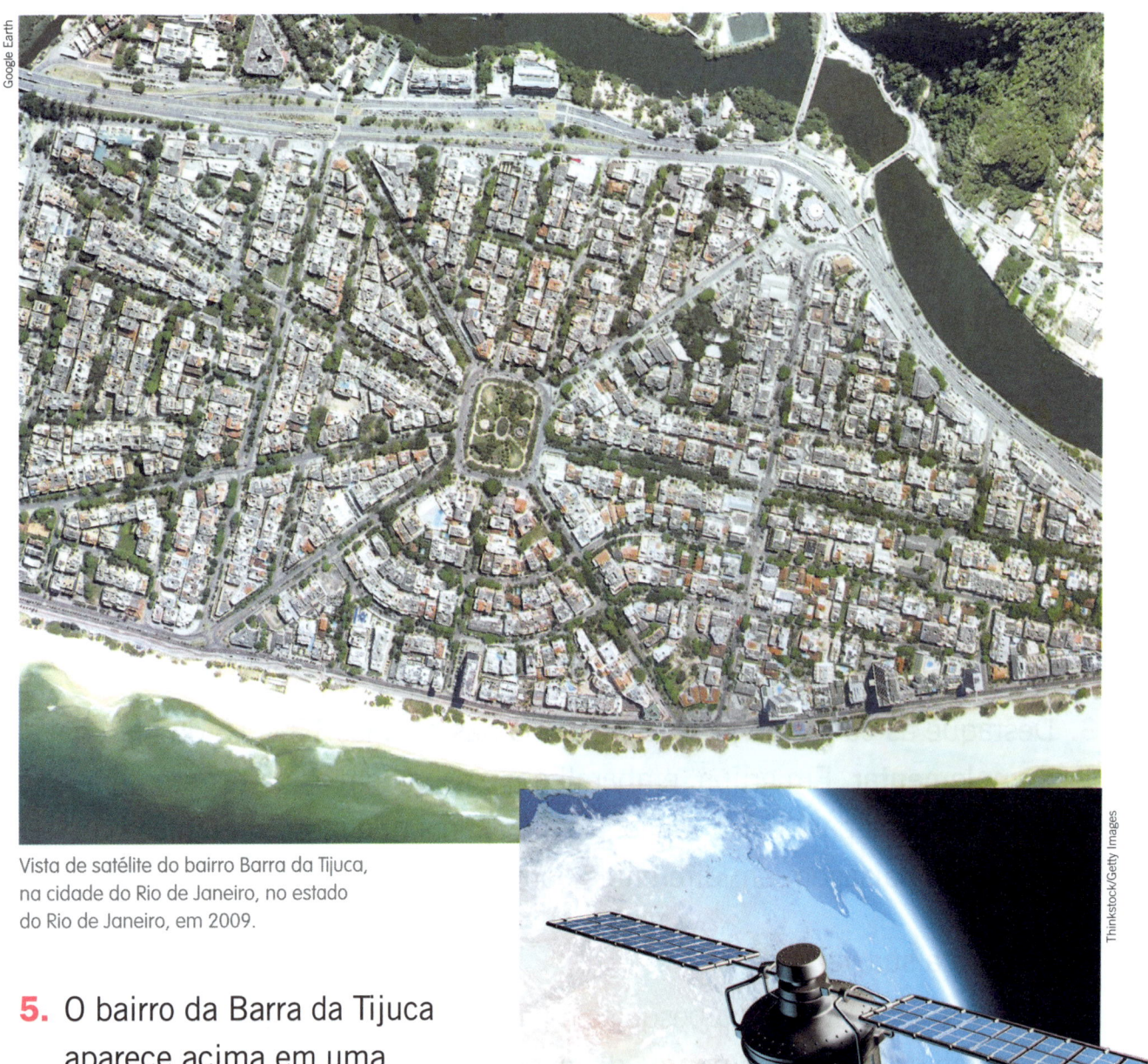

Vista de satélite do bairro Barra da Tijuca, na cidade do Rio de Janeiro, no estado do Rio de Janeiro, em 2009.

5. O bairro da Barra da Tijuca aparece acima em uma imagem de satélite. A partir de qual ponto de vista esse bairro foi retratado?

Thinkstock/Getty Images

Satélite artificial em torno do planeta Terra.

A **imagem de satélite** é obtida por satélites artificiais, que são aparelhos que circulam ao redor da Terra.

Agora, observe o mapa do bairro da Barra da Tijuca.

Parte do bairro Barra da Tijuca, no município do Rio de Janeiro, no estado do Rio de Janeiro, feito com base em uma imagem de satélite.

No mapa, o **título** identifica o que está sendo representado e a **legenda** informa o significado das cores, formas e linhas usadas na representação.

6. Circule o título desse mapa.

7. Como as ruas foram representadas nesse mapa? E o oceano e os rios?

8. Cite uma semelhança e uma diferença entre a imagem de satélite e o mapa.

Atividades

1. Observe as imagens.

   a) Pinte a moldura da imagem que está na visão frontal.

   b) Qual das imagens é a mais adequada para fazer um mapa? Explique.

Essas duas fotografias mostram edifícios localizados na orla da praia de Iracema, no município de Fortaleza, no estado do Ceará, em 2013.

   c) Circule o mapa que corresponde à imagem 2.

Mapas feitos com base em imagens de satélite.

2. Ligue cada informação à imagem a que se refere.

A pessoa que faz esse tipo de representação tem liberdade para representar o lugar da maneira como acha que ele é, usando traços e formas, por exemplo.

É como se fosse a miniatura de um lugar.

É uma imagem obtida por aparelhos que ficam ao redor da Terra, os satélites artificiais.

Nesse tipo de representação, o ponto de vista é vertical e cores, formas e linhas representam os elementos da paisagem.

Imagem de satélite

Mapa

Maquete

Pintura e desenho

Ampliando horizontes...

site
Google Maps. Disponível em: <maps.google.com.br>. Acesso em: março de 2015.
O Google Maps é um *site* que fornece mapas e imagens de satélite de diversos lugares da Terra.

filme
Up – altas aventuras, direção de Pete Docter e Bob Peterson. EUA, Disney/Buena Vista, 2009.
Ameaçado de ser retirado de sua própria casa, o senhor Fredericksen enche a casa de balões e, com o garoto Russell, sai voando rumo a uma floresta na América do Sul.

37

rede de ideias

Paisagens antigas do Brasil

Floresta virgem de Mangaratiba na província do Rio de Janeiro,
de Johann Moritz Rugendas, 1827. Litografia sobre papel.

1. Pinte o número da obra de arte de acordo com a legenda.
   - 🟢 Representa a paisagem de uma mata ou floresta.
   - 🟠 Representa uma cena do cotidiano das pessoas.

2. Essas pinturas antigas foram feitas por artistas estrangeiros que vieram para o Brasil. Eles tinham a missão de representar as paisagens exatamente como elas eram.

    ORAL

    a) Na sua opinião, a pintura 1 ajudou os estudiosos da natureza a conhecer as florestas brasileiras? Explique.

b) O que o artista representou na pintura 2?

3 Hoje em dia, o recurso mais utilizado pela maior parte das pessoas para retratar pessoas ou paisagens é:

☐ a pintura. ☐ a fotografia.

2

Vista em frente à igreja de São Bento, de Johann Moritz Rugendas, 1835. Gravura colorizada. Coleção particular.

4 Agora, imagine que você é um pintor paisagista. Escolha a paisagem que vai representar e o material que vai usar. Depois, posicione-se diante da paisagem escolhida e faça seu desenho.

- Dê um título para seu trabalho e escreva o local e a data em que foi feito.

- Com os colegas e o professor, organizem uma exposição dos trabalhos. Deem um nome para a exposição e convidem os colegas de outras turmas para visitar.

Fotografias: Walt Disney Entertainment

UNIDADE 3

A localização

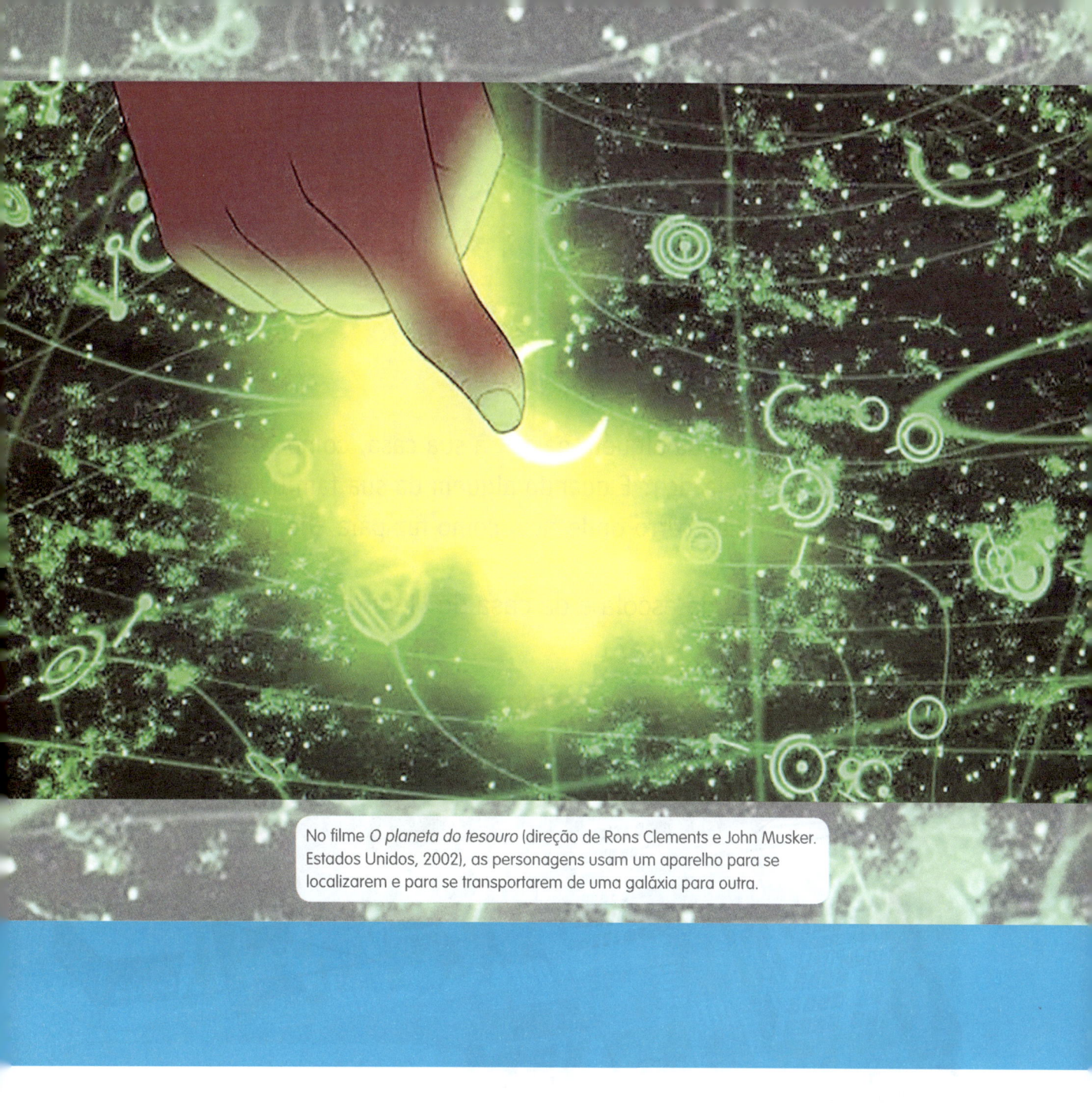

No filme *O planeta do tesouro* (direção de Rons Clements e John Musker. Estados Unidos, 2002), as personagens usam um aparelho para se localizarem e para se transportarem de uma galáxia para outra.

Converse com os colegas sobre as questões.

1. Que maneiras ou equipamentos você conhece para encontrar lugares e caminhos?

2. Na sua opinião, algum dia será possível o deslocamento instantâneo entre galáxias e planetas como no filme *O planeta do tesouro*?

Capítulo 1
Endereço e ponto de referência

Quando você convida alguém para ir à sua casa, como você faz para explicar onde ela fica? E quando alguém da sua família vai a um lugar que não sabe ao certo onde fica, como faz para chegar até lá?

ORAL

Observe os arredores da escola e da casa de Henrique.

Quando sair da escola, atravesse a rua e siga em frente. Entre à direita depois de passar pelo posto de combustível. Depois, entre na segunda rua à esquerda. Minha casa é a primeira depois da praça.

Planta dos arredores da casa de Henrique.

1. Trace, na ilustração, o caminho da escola até a casa de Henrique.

2. Faça um **X** nos lugares que Henrique usou para indicar a localização da casa dele.

Os lugares que Henrique usou para indicar a localização da casa dele são chamados **pontos de referência**.

> O **ponto de referência** nos ajuda a encontrar locais aonde queremos ir. O ponto de referência pode ser uma rua, uma praça, uma escola, um morro, um rio, entre outros.

3. Descreva um caminho para Henrique ir da casa dele até o supermercado. Não se esqueça de utilizar alguns pontos de referência. **ORAL**

4. Leia o texto e escreva o nome do local aonde Henrique chegou.

> Ao sair de casa, segui à direita, passei pela praça, depois entrei na primeira rua à direita e passei em frente do prédio azul. Atravessei na faixa de pedestre a rua Souza e, logo em seguida, a rua Santos.

5. Para indicar a localização da casa onde mora, Henrique poderia usar o endereço. Preencha esta ficha com o endereço de sua moradia.

Meu endereço

- Rua: _____
- Número: _____ Complemento: _____ CEP: _____
- Bairro: _____ Município: _____
- Estado: _____ País: _____

Capítulo 2
Encontrando endereços

Imagine que você e alguém de sua família vão fazer uma surpresa a um amigo. Vocês têm o endereço de onde ele mora, mas não sabem como chegar lá. Como vocês encontrariam o local?

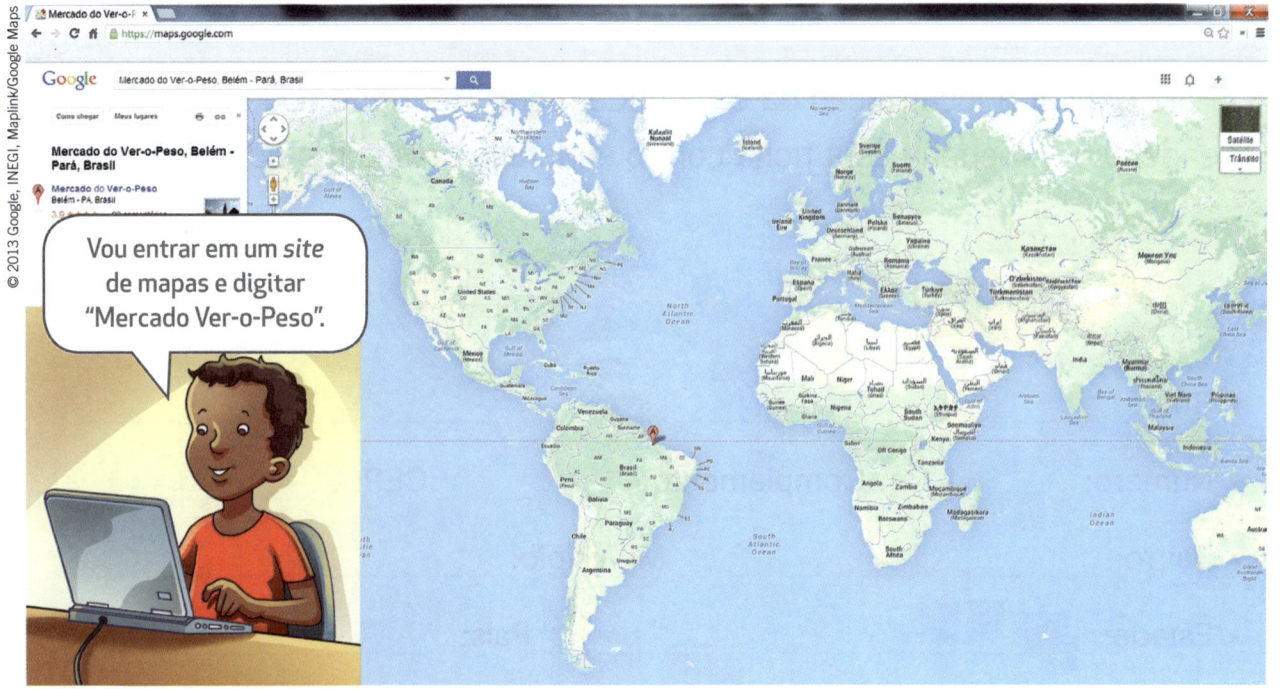

ORAL

Observe a situação.

— Toninho, na próxima semana vou viajar a trabalho para Belém do Pará. Vou aproveitar para conhecer a cidade.

— Ah, lá tem um lugar de que você vai gostar, pai: o Mercado Ver-o-Peso. Tem muitos temperos e produtos da região.

— Então preciso me hospedar bem perto desse mercado!

— Vou ver a localização, pois acho que alguém vai fazer muitas compras...

— Vou entrar em um *site* de mapas e digitar "Mercado Ver-o-Peso".

Aqui está o mapa.

E esta é a imagem de satélite do mesmo lugar.

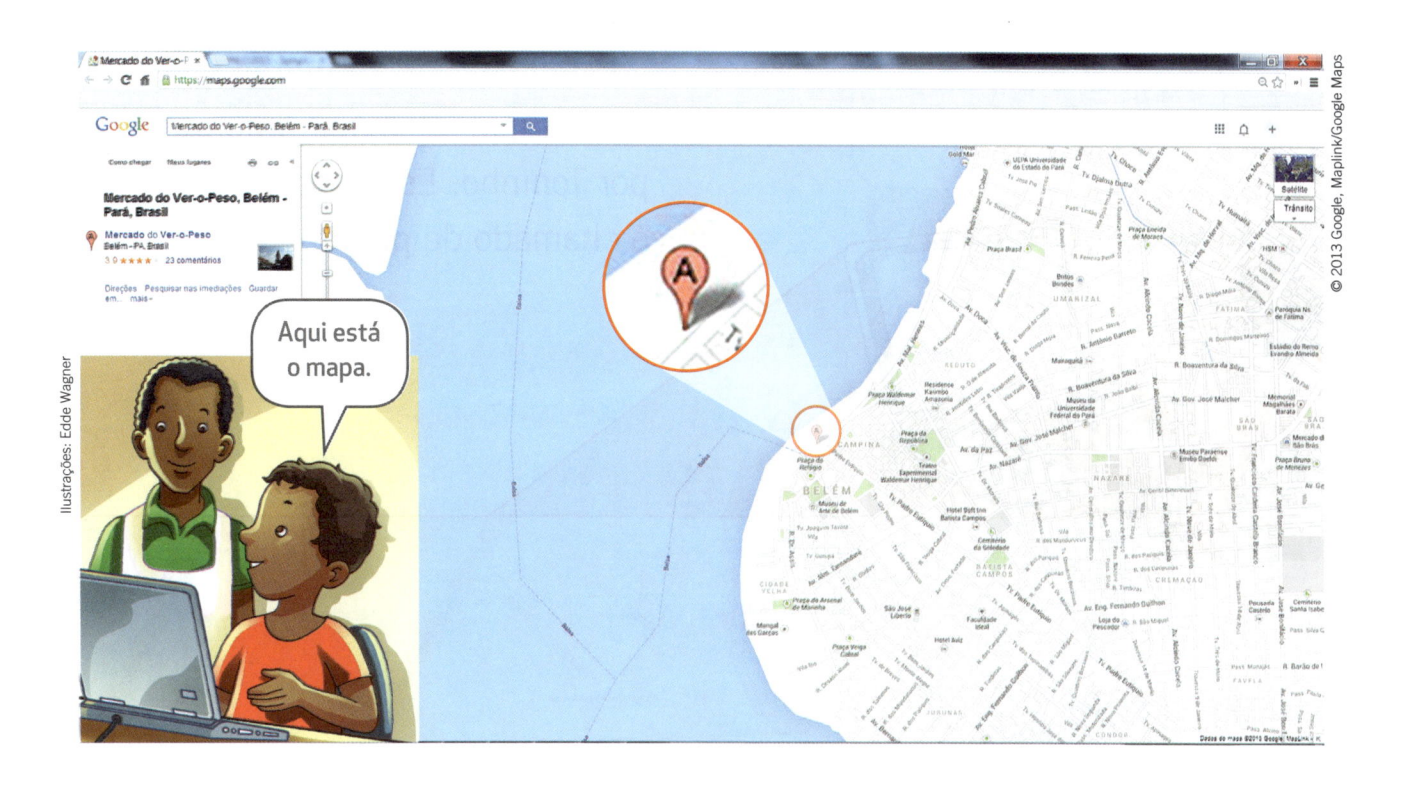

1. Como a localização do Mercado Ver-o-Peso foi indicada no mapa e na imagem de satélite? **ORAL**

2. Se você fosse procurar um lugar, você usaria o mapa ou a imagem de satélite? Explique sua resposta para os colegas e o professor. **ORAL**

45

"Vou aproximar um pouco para vermos mais detalhes. Agora, é só imprimir!"

Observe o mapa impresso por Toninho. Esse tipo de mapa é chamado de **planta**.

Uma **planta** é um tipo de mapa no qual os lugares são representados como se estivéssemos observando-os bem próximo de nós. A planta representa lugares como casas, escolas e bairros.

3. Observe novamente a planta e faça o que se pede.

a) Pinte o nome da rua onde está localizado o hotel mais próximo do Mercado Ver-o-Peso.

b) Trace um caminho para o pai de Toninho ir desse hotel até o mercado.

c) Escreva o nome de alguns lugares que podem ser utilizados como pontos de referência para indicar a localização do Mercado Ver-o-Peso.

_____

_____

O GPS e o guia de ruas

Muitas pessoas utilizam um aparelho eletrônico chamado **GPS** para encontrar um endereço. O GPS está conectado a uma rede de satélites artificiais que "informam" a posição exata das ruas e dos trajetos que podemos percorrer para ir de um local a outro.

Aparelho de GPS.

Para isso, também podemos utilizar um **guia de ruas**. Os guias de ruas apresentam plantas que representam ruas, avenidas, estações de trem e de metrô, paradas de ônibus, hospitais, escolas, praças, parques e rios, entre outros locais.

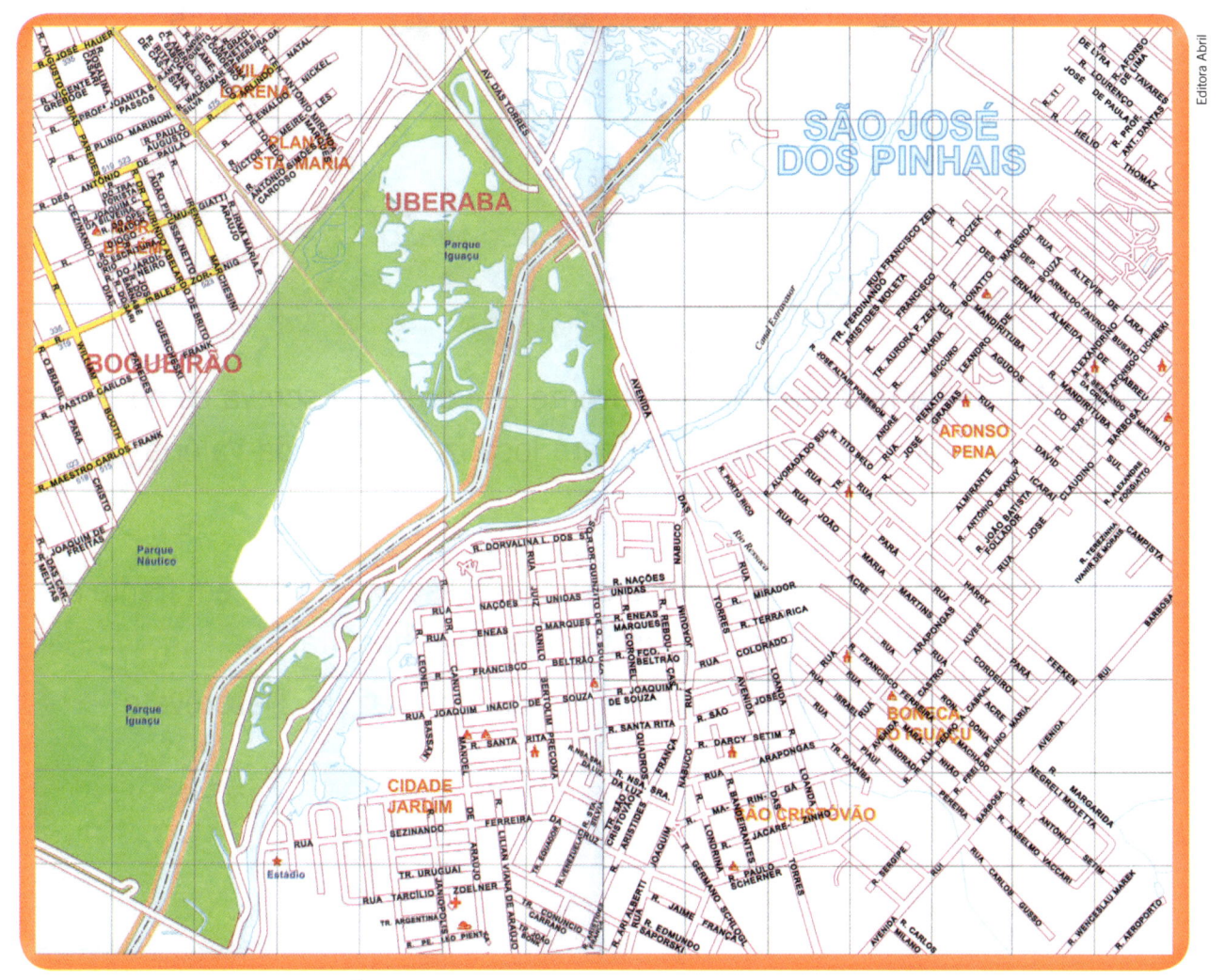

Página de guia de ruas da cidade de Curitiba, no estado do Paraná.

4. Dos instrumentos de localização estudados neste capítulo, qual você usaria para encontrar um lugar? Por quê?

ORAL

Atividades

1. Observe a ilustração.

a) Valéria mora na casa verde em frente ao córrego. Escreva os nomes de mais dois pontos de referência para localizar a casa da Valéria.

_____

b) Edu mora na casa verde que fica entre as casas azuis, bem em frente ao parque. Trace um caminho da casa dele até o hospital.

c) Imagine que você mora em uma dessas casas azuis. Descreva o caminho da sua casa até:

- o hipermercado: _____

_____

_____

- o parque: _____

_____

2. Observe uma página de um guia de ruas do município de Belo Horizonte.

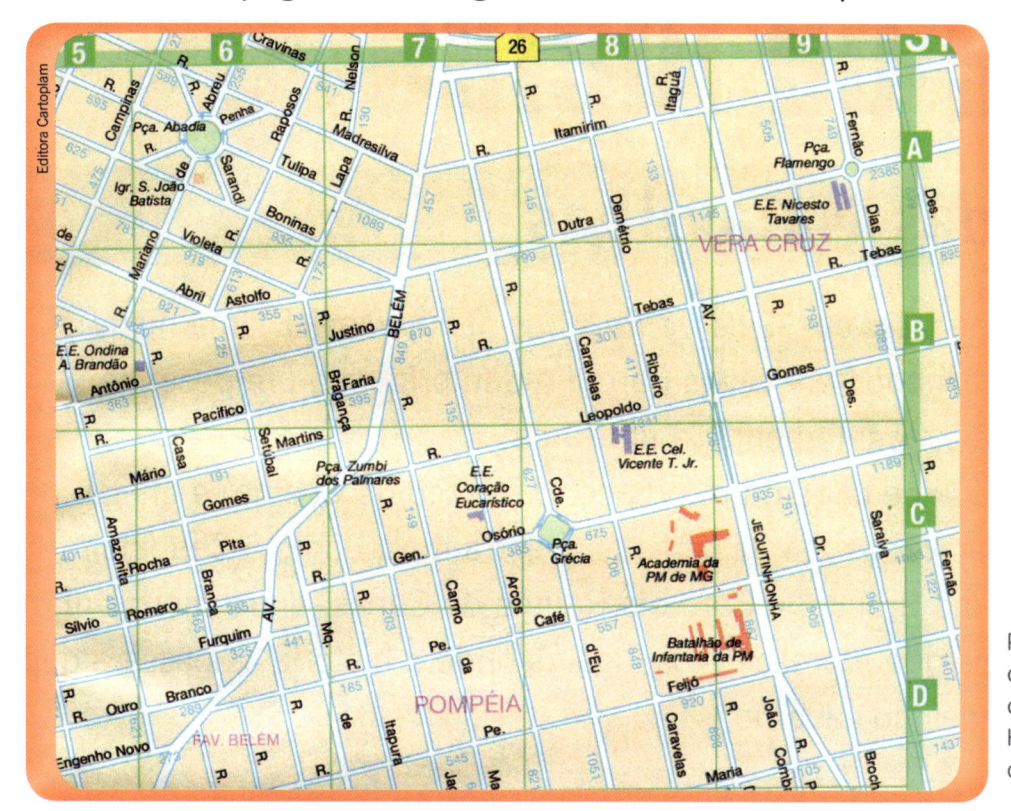

Parte de página de guia de ruas da cidade de Belo Horizonte, no estado de Minas Gerais.

a) Descreva um caminho para ir da praça Flamengo até a praça Grécia.

_____

_____

b) Cite alguns pontos de referência para localizar a praça Grécia.

_____

_____

Ampliando horizontes...

livro

A marca da caveira, de Victor Louis Stutz, Formato.

Aventura sobre um rapaz que luta para não deixar que piratas se apoderem de um mapa do tesouro.

filme

O planeta do tesouro, direção de Ron Clements e John Musker. Estados Unidos, 2002.

Após encontrar um mapa do tesouro que havia sido escondido por um pirata espacial, Jim Hawkins e seus companheiros partem em uma viagem pelas galáxias em busca do tesouro.

49

rede de ideias

O País das Maravilhas

Você já ouviu falar em *Alice no País das Maravilhas*? É uma história escrita há muitos anos por Lewis Carroll e deu origem a um desenho animado e, mais recentemente, a um filme.

Na história, Alice cai em um buraco (o Buraco do Coelho) e chega ao País das Maravilhas. Lá há seres bem estranhos, como o Chapeleiro Maluco, o Coelho Branco, o Gato e a Rainha de Copas, entre muitos outros. Observe o mapa que representa os lugares onde a história se passa e depois faça as atividades no caderno.

1 Alice mora em Oxford, um lugar do mundo real, localizado na Inglaterra. No mapa, indique com uma seta onde Alice caiu no início da história.

2 Depois de cair no Buraco do Coelho, Alice segue por um túnel e chega a um lugar bem estranho, que fica entre o Roseiral da Rainha e a Lagoa das Lágrimas. Circule esse lugar.

3 Que lugares há entre a Casa do Rato e o Bosque?

4 Escolha o lugar do País das Maravilhas que você achou mais interessante e faça a atividade.

a) Trace no mapa o trajeto para chegar ao lugar escolhido, a partir do Salão das Portas. Descreva esse trajeto no caderno usando alguns pontos de referência e direções como **à esquerda**, **à direita** e **em frente**.

b) Com um colega, imagine outro lugar que poderia existir no País das Maravilhas. Em uma folha à parte, façam um desenho para mostrar a criação de vocês. Organize com os colegas e o professor uma exposição na sala de aula.

Fonte: Alberto Manguel e Gianni Guadalupi. *Dicionário dos lugares imaginários*. São Paulo: Cia. das Letras, 2003. p. 271.

QUAL É A PEGADA?
feira de troca

Observe os cartazes.

À esquerda, cartaz de feira de troca de livros (no município de Porto Alegre, no estado do Rio Grande do Sul, em 2013). À direita, cartaz de feira de troca de brinquedos que acontece em várias cidades do Brasil.

Converse com os colegas e o professor sobre as questões.

1. Quais objetos foram trocados nas feiras anunciadas nesses cartazes?

2. Qual feira ocorreu na cidade de Porto Alegre?

3. Você já foi a uma feira de trocas? Se já foi, o que você trocou?

4. Em um dos cartazes, o robozinho está falando que trocar é divertido. Na sua opinião, por que trocar pode ser divertido?

5. Na sua opinião, por que trocar objetos ajuda a diminuir a quantidade de lixo e o uso de recursos naturais? Converse sobre isso com o professor e os colegas.

> **Recursos naturais:** elementos retirados da natureza e utilizados para o consumo ou a fabricação de produtos. A água, as árvores e o petróleo são exemplos de recursos naturais.

Para localizar uma feira de trocas no município ou no bairro onde você mora, a internet pode ser de grande ajuda. Veja a página de um *site* que divulga o endereço de algumas dessas feiras.

Hagaquezart estúdio

Eventos
Estando em um computador ou celular com acesso à internet, é só clicar no símbolo para saber o endereço de onde acontece a feira.

Disponível em: <http://feiradetrocas.alana.org.br/#lat=-13.138813120877348&lng= -59.33045326401344&zoom=5>. Acesso em: março de 2015.

6. Com a ajuda do professor, organizem-se em grupos e realizem esta atividade.

   a) Cada grupo vai pesquisar sobre feiras de troca de brinquedos, livros e gibis que ocorrem no município onde se localiza a escola.

   b) Depois, cada grupo fará um cartaz para divulgar a feira. Vocês também podem organizar uma feira na escola e chamar amigos e familiares para participar!

UNIDADE 4

Orientação no espaço

Lençóis Maranhenses, no estado do Maranhão, em 2011.

Converse com os colegas e o professor sobre a questão.

- Se você estivesse em um lugar como o retratado na fotografia, sem nenhum equipamento de localização ou mapa, como faria para se localizar e encontrar um caminho a seguir?

Capítulo 1
Os pontos cardeais

Os seres humanos sempre observaram o Sol e outras estrelas para encontrar caminhos. E você, observa o Sol e as outras estrelas? Quando você está na sua casa, onde o Sol pode ser visto pela manhã? E à tarde? **ORAL**

Leia a tirinha.

1. O que o Cebolinha usou para marcar o caminho na mata?

_____

2. Você acha que essa foi uma boa solução? **ORAL**

3. Se você estivesse caminhando em uma mata, o que faria para encontrar o caminho de volta? **ORAL**

Os endereços, os mapas, os guias de ruas e o GPS ajudam a localizar lugares. Mas como identificar a direção ou o rumo a seguir quando não se tem esses recursos?

Uma das maneiras é observar, no céu, a posição das estrelas, como o Sol, e de outros astros.

Astros: corpos celestes (que existem no céu), como as estrelas, os planetas e os cometas.

Observe a ilustração. Nela, vemos uma garota identificando as direções a partir da observação da posição do Sol pela manhã.

> O lado onde o Sol pode ser visto pela manhã é denominado **nascente** ou **Leste**. O lado onde o Sol "desaparece" à tarde é denominado **poente** ou **Oeste**. Nas outras direções temos o **Norte** e o **Sul**.
>
> Observando o movimento aparente do Sol no céu, é possível identificar os **pontos cardeais**. São eles: Norte (N), Sul (S), Leste (L) e Oeste (O).

4. Observe novamente a ilustração e escreva a direção em que está (estão):

a) o mar. _____

b) as casas. _____

c) o morro. _____

d) os coqueiros. _____

Capítulo 2
Encontrando as direções

Você já viu a indicação das direções Norte, Sul, Leste e Oeste em algum lugar ou objeto? Onde? Você sabe se existem outras direções além dessas?

ORAL

Observe a figura abaixo. Ela é chamada rosa dos ventos.

> A **rosa dos ventos** indica os pontos cardeais (Norte, Sul, Leste e Oeste) e os **pontos colaterais** (Noroeste, Nordeste, Sudoeste e Sudeste). Os pontos colaterais estão entre os pontos cardeais.

Entre o Oeste e o Norte está o **Noroeste** (NO).

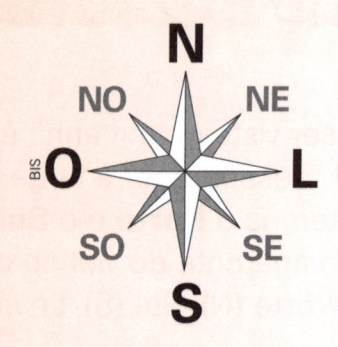

Entre o Norte e o Leste está o **Nordeste** (NE).

Entre o Sul e o Oeste está o **Sudoeste** (SO).

Entre o Leste e o Sul está o **Sudeste** (SE).

1. Observe a ilustração. Depois, complete as frases com os pontos cardeais e colaterais dos quadrinhos.

Norte

Leste

Oeste

Sudoeste

a) A padaria está localizada ao _____ da praça.

b) A biblioteca está localizada a _____ da praça.

c) O rio está localizado a _____ da praça.

d) O banco está localizado a _____ da praça.

2. Leia o texto e observe a fotografia.

Esse aparelho não depende do Sol para indicar os pontos cardeais e encontrar as direções. Ele possui uma agulha que aponta sempre para o Norte e um mostrador onde está desenhada a rosa dos ventos. Assim conseguimos determinar as demais direções cardeais.

- Desembaralhe as letras e descubra o nome desse aparelho.

L O S B A Ú S

Gente que faz!

Utilizando os pontos cardeais

Com o professor e os colegas, vá até um lugar aberto da escola, como o pátio ou a quadra de esportes, e siga as instruções para descobrir as direções.

1 Observem de que lado o Sol pode ser visto pela manhã. Estiquem os braços apontando o braço direito para esse lado. Essa é a direção Leste (**L**). Na direção do braço esquerdo estará o Oeste (**O**). Na sua frente estará o Norte (**N**) e atrás, o Sul (**S**).

2 Utilizando giz de lousa, desenhem no chão a rosa dos ventos com os pontos cardeais.

❸ Em grupo de três ou quatro alunos, façam um desenho em uma folha à parte indicando os lugares ou as construções localizados ao Norte, ao Sul, a Leste e a Oeste da quadra.

❹ Depois, exponham os desenhos em um mural para que os outros alunos da escola identifiquem as direções.

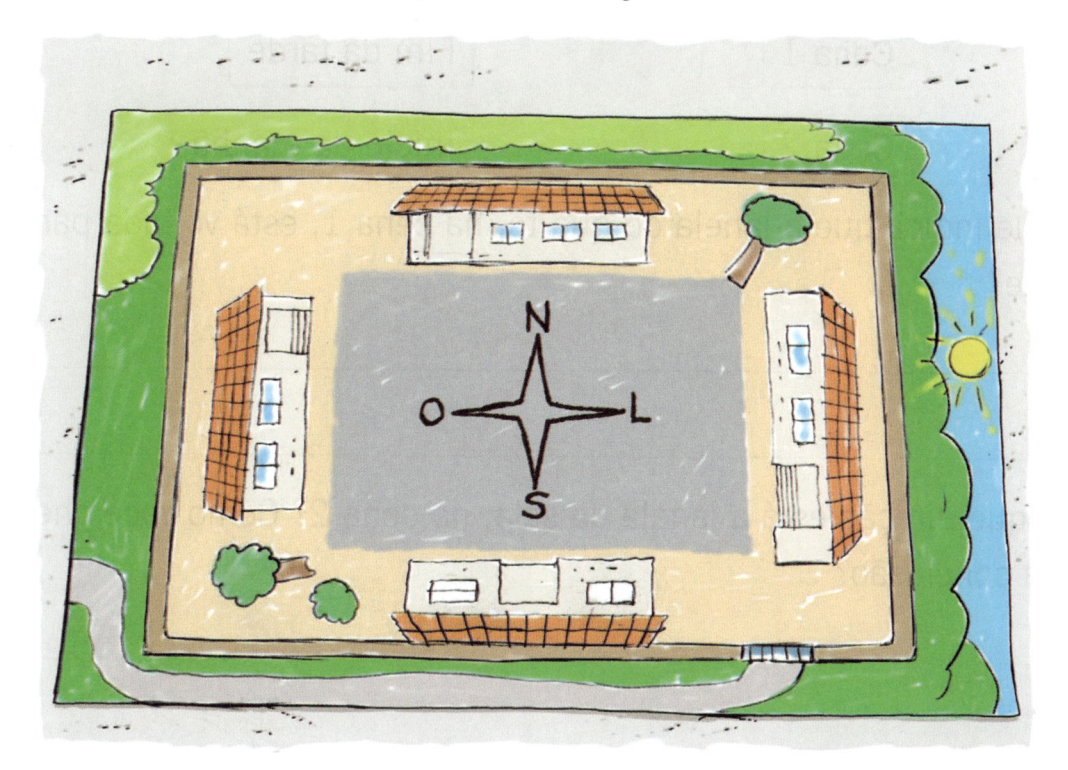

61

Atividades

1. Observe as cenas.

CENA 1

CENA 2

a) Ligue cada cena ao período do dia a que corresponde:

Cena 1   Fim da tarde

Cena 2   Início da manhã

b) O que indica que a janela do quarto, na cena 1, está voltada para o Leste?

_____

_____

c) Em que direção está a janela da sala, na cena 2? Como você chegou a essa conclusão?

_____

_____

2. Faça um **X** na afirmação correta.

☐ A rosa dos ventos indica os pontos cardeais e colaterais.

☐ A bússola aponta sempre para o Sul.

3. Em uma folha à parte, desenhe a sua casa e o Sol no local aproximado onde é visto no período da manhã. Depois, desenhe uma seta indicando a parte da casa que está voltada para o Leste.

4. Em dupla, vocês vão brincar do Jogo da Rosa dos Ventos. Para isso, destaquem e montem as figuras das páginas 5, 7, 9 e 11 do **Material Complementar**. Nesse jogo:

■ O ponto de partida é a rosa dos ventos.

■ A cada rodada, o jogador percorre 2 casas na direção indicada pelo dado.

■ No jogo, existem dois dados: um com os pontos cardeais e outro com os pontos colaterais. A cada rodada, o jogador deve alternar o dado que usa.

■ Se o jogador cair em uma ilha pela primeira vez, lê a carta sobre a ilha para os colegas e fica com ela.

■ Se o jogador cair em uma ilha que já foi "descoberta", não ganha ponto.

■ Quem terminar o jogo com mais cartas vence.

PISTA: Nos dados, algumas direções aparecem duas vezes.

Ampliando horizontes...

livro

O tesouro do pirata Pão-duro, de Atílio Bari, Scipione.

Carlito e Bárbara acharam um pedaço de um mapa que leva ao tesouro do pirata Pão-duro. Nessa história, os amigos precisam utilizar seus conhecimentos de números, tamanhos e direções para achar o tesouro.

rede de ideias

Pombos-correio e a bússola

Observe a fotografia e leia o texto para fazer as atividades.

Com uma bússola no bico

Sabia que os cientistas acabam de descobrir como os famosos pombos-correio se orientam?

Há muitos anos, quando não existia correio nem internet, as pessoas usavam pombos para enviar mensagens, que chegavam direitinho ao seu destino! O que ninguém entendia era como as aves viajavam longas distâncias e sabiam voltar para casa... Pois foi isso que os cientistas da Universidade de Auckland, na Nova Zelândia, descobriram!

Sabia que os pombos-correio têm algo parecido com uma bússola no bico? Esse instrumento, você sabe, serve para orientação. Ele tem uma agulha, que indica o Norte, facilitando assim que alguém localize a posição em que está. Os cientistas da Nova Zelândia revelaram que os pombos-correio têm minúsculas partículas de ferro no bico superior que funcionam como as agulhas de uma bússola. "Essas partículas, que poderíamos comparar a agulhas, giram e sempre indicam a direção Norte", explica C. M., coordenadora da pesquisa.

[...]

Fonte: Ciência Hoje das Crianças. Disponível em: <http://chc.cienciahoje.uol.com.br/com-uma-bussola-no-bico/>. Acesso em: março de 2015.

Soldados treinando um pombo-correio para enviar mensagens durante a Primeira Guerra Mundial. Cerca de 1914.

1 Sobre a ideia principal do texto, complete a frase com estas palavras:

Norte   bússola   ferro

Os cientistas descobriram que o bico do pombo-correio funciona como uma _____, pois possui partículas de _____, que sempre indicam a direção _____.

2 Agora vocês vão construir uma bússola. Sigam as etapas. GRUPO

Materiais
- Ímã
- Pedaço de rolha, cortiça ou isopor, com mais ou menos 1 cm de altura
- Agulha
- Fita adesiva transparente
- Vasilha (ou prato)
- Água
- Tinta ou caneta à prova d'água

Como fazer
- Escrever as iniciais dos pontos cardeais no fundo da vasilha.
- Colocar água na vasilha.
- Esfregar uma das pontas da agulha no ímã, sempre na mesma direção.
- Fixar a agulha na rolha com fita adesiva.
- Colocar a rolha, com a agulha, na vasilha com água.
- Esperar a rolha parar de se movimentar e girar a vasilha até deixar a agulha apontada para a direção N desenhada na vasilha.

3 Em grupo, com o auxílio da bússola que vocês construíram, identifiquem os pontos cardeais e colaterais na sala de aula. Depois escrevam no caderno que objetos se encontram em cada direção. Por exemplo: a Leste está a janela, a Nordeste está o armário.

Militão Augusto de Azevedo. Rua Riachuelo, 1892.

1892

Ilustração: Haquezart estúdio

UNIDADE 5
A transformação da paisagem

1956

2014

Essas fotografias mostram a rua Riachuelo, do centro da cidade de São Paulo, no estado de São Paulo, em três épocas.

1. Destaque da página de **Adesivos** a fotografia da rua Riachuelo e descubra como ela era em 1956. Cole a imagem no espaço correspondente.

2. Converse com os colegas e o professor:
   - O que mudou e o que permaneceu na paisagem desse lugar ao longo do tempo?
   - Na sua opinião, as mudanças na paisagem foram provocadas pelos seres humanos ou pela natureza? Por que você acha isso?

Capítulo 1
A paisagem

> Quando você olha no entorno de sua casa ou escola, o que vê? Há muitas construções, como prédios e avenidas? Você vê elementos da natureza, como rios e morros?

ORAL

Observe a imagem.

Feirinha ao pé da serra, de Edivaldo, 2013. Acrílico sobre tela. Coleção particular.

1. O que você vê na paisagem retratada nessa obra de arte?

_____

_____

> A **paisagem** é tudo o que você observa e percebe no espaço. Ela pode ser vista pessoalmente ou em fotografias, pinturas, filmes, entre outros.

68

Na paisagem representada na obra de arte da página ao lado, há elementos naturais e elementos humanos.

> Os **elementos naturais** são aqueles produzidos pela natureza. Árvores, rios, animais e morros são exemplos desses elementos.
> Os **elementos humanos** ou **culturais** são aqueles construídos pelos seres humanos, como casas, escolas, ruas, plantações, pontes e túneis.

2. Pinte a frase que for verdadeira sobre a obra de arte da página ao lado.

> Foram pintados apenas elementos naturais.

> Há somente elementos humanos ou culturais.

> Há elementos naturais e elementos humanos ou culturais.

3. Observe elementos que podemos observar nas paisagens e circule-os de acordo com a legenda:

🟢 Elementos naturais. 🔴 Elementos humanos ou culturais.

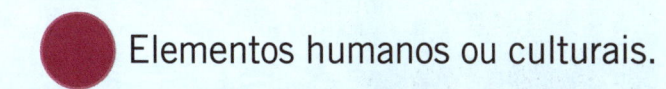

69

4. Agora, observe as fotografias.

1 ☐

Paisagem na Nova Zelândia em fotografia de 2010.

2 ☐

Vista panorâmica do rio Sena, na França, em fotografia de 2010.

■ Faça um X na fotografia que retrata uma paisagem onde se destacam os elementos naturais.

5. Que elementos naturais você observa na fotografia 1?

_____

_____

6. Complete o quadro com nomes de elementos que você observa na fotografia 2.

Elementos naturais	Elementos humanos

7. Façam uma lista dos elementos naturais e dos elementos humanos que formam a paisagem dos arredores da escola onde vocês estudam. `DUPLA`

Elementos naturais	Elementos humanos

8. Desenhe uma paisagem formada por elementos naturais e humanos.

Capítulo 2
A paisagem se transforma

A paisagem está sempre se transformando. Às vezes, as mudanças ocorrem lentamente, ao longo de vários anos. Outras vezes, as mudanças ocorrem em um mesmo dia.

Observe as fotografias.

Fotografias: Leo Caldas/Pulsar Imagens

As duas fotografias mostram a mesma rua do município de Recife, no estado de Pernambuco, em 2010, mas em diferentes períodos do dia: de manhã (fotografia 1) e à tarde (fotografia 2).

1. O que mudou na paisagem dessas fotografias de um momento para o outro? Por que isso aconteceu?

ORAL

Seres humanos e natureza

Muitas transformações que vemos na paisagem são realizadas pelos **seres humanos**, como a construção de prédios, abertura de estradas e muitas outras.

Mas não são apenas os seres humanos que transformam a paisagem. A **natureza** também provoca mudanças na paisagem. Observe um exemplo.

As duas fotografias mostram a mesma casa no município de Manaus, no estado do Amazonas, em 2010, em diferentes épocas do ano: durante o período de seca, no mês de novembro (fotografia 1), e durante o período de chuvas, no mês de julho, quando ocorrem as cheias nos rios (fotografia 2).

2. Observe estas fotografias e leia as legendas.

Vista aérea parcial de Sendai, no Japão, em março de 2011: à esquerda, antes do terremoto e *tsunami*; à direita, após os eventos.

- O que transformou essa paisagem: a ação dos seres humanos ou a ação da natureza?

O passado e o presente na paisagem

Observe as fotografias.

1

Há elementos da paisagem que não são modificados ou sofrem pouca alteração com o passar dos anos. Esses elementos podem ser chamados de **permanências da paisagem** e representam marcas da história dos lugares.

Uma construção, por exemplo, pode permanecer por muitos anos na paisagem de um lugar. Às vezes essa construção continua tendo a mesma função. Uma casa, por exemplo, pode continuar a ser utilizada como moradia mesmo depois de muitos anos. Outras vezes, porém, a construção permanece, mas sua função muda.

2

A Estação da Luz, inaugurada em 1865, foi a estação de trem mais importante do Brasil, por onde circularam muitos passageiros e cargas de café. Atualmente, a estação continua em funcionamento, mas sua função mudou: em 2006 foi inaugurado no prédio da estação o Museu da Língua Portuguesa. Na fotografia 1, prédio da Estação da Luz, no município de São Paulo, no estado de São Paulo, em 2010. Na fotografia 2, de 2011, interior do Museu da Língua Portuguesa.

3. Pesquise uma construção antiga de seu município e procure saber por quais mudanças ela passou. Registre o resultado de sua pesquisa em uma folha à parte. Faça também um desenho ou cole uma fotografia do lugar que você pesquisou.

Gente que faz!

Organizando um painel fotográfico

Com os colegas e a ajuda do professor, você vai montar um painel fotográfico do bairro ou do município onde mora.

RECORTE E COLE

Etapa 1
- Providenciem imagens antigas de diferentes lugares do bairro ou do município. Podem ser fotografias conseguidas com moradores do bairro ou imagens disponíveis em *sites*. Não se esqueçam de anotar no caderno a data da imagem e identificar o lugar retratado.

Etapa 2
- Organizem as imagens por data, da mais antiga para a mais recente.

Etapa 3
- Colem as imagens em uma cartolina, organizando por período e formando um painel.

Etapa 4
- Com o painel pronto, observem as mudanças e as permanências na paisagem do bairro ou do município e conversem com o professor e os colegas sobre o que vocês observaram.

Etapa 5
- Façam uma legenda para cada imagem com o nome do lugar e a data. Escrevam em uma folha à parte um pequeno texto sobre o que descobriram (mudanças e permanências) e fixem no painel, próximo às imagens.

Atividades

1. Observe a fotografia e depois responda às perguntas.

Trecho final do túnel Cuncas II, sob a serra do Vital, no município de Cajazeiras, no estado da Paraíba, em 2011.

a) Que transformação está ocorrendo nessa paisagem?

_____

_____

b) Quem está realizando essa transformação: os seres humanos ou a natureza?

_____

c) Na sua opinião, esse tipo de construção traz benefícios para as pessoas? Por que você acha isso?

_____

_____

2. Escreva em uma folha à parte as mudanças que já aconteceram ou que estão acontecendo na paisagem dos arredores de sua moradia. Na sua opinião, essas mudanças interferem na vida das pessoas? Depois, converse sobre isso com os colegas e o professor.

3. As fotografias mostram uma rua no município de João Pessoa em duas épocas diferentes.

Livraria Penna, Paraíba · Germano Felipe/Casa da Photo

Rua Duque de Caxias, no município de João Pessoa, no estado da Paraíba. À esquerda da fotografia, pode-se ver parte da fachada do Palácio do Governo. A fotografia da esquerda é de cerca de 1910 e a da direita, de 2014.

a) Quais elementos dessa paisagem sofreram mudanças ao longo do tempo? `ORAL`

b) Você observa permanências nessa paisagem? Se sim, quais? `ORAL`

Ampliando horizontes...

livro

Tudo está sempre mudando, de Murilo Silva Cisalpino, Formato.

Um dia, voltando da escola, Mundinho fica sabendo que o terreno onde sua turma jogava futebol estava sendo preparado para a construção de um prédio. Isso o faz refletir sobre o seu bairro: como era, como é e como será daqui a alguns anos.

filme

Turma da Mônica em uma aventura no tempo. Animação. Direção: Mauricio de Sousa. Brasil, Buena Vista, 2007.

Transportadas por uma máquina do tempo construída pelo Franjinha, as crianças vivem muitas aventuras em tempos e lugares diferentes, no passado e no futuro.

rede de ideias

Transformações na paisagem e nos esportes

Observe as fotografias e leia os textos para fazer as atividades.

Moacyr Lopes Junior/Folhapress

Você já ouviu falar da São Silvestre? É uma corrida que acontece no dia 31 de dezembro nas ruas da cidade de São Paulo.

Corredores durante a São Silvestre, corrida que acontece anualmente no município de São Paulo, no estado de São Paulo. Fotografia de 2012.

Acervo Gazeta Press

A São Silvestre foi criada em 1925. Nesse mesmo ano havia outra competição muito famosa, considerada a "São Silvestre da água". Era a Travessia de São Paulo a Nado, que ocorria no rio Tietê.

Essa fotografia, publicada no jornal *A Gazeta*, mostra o público e alguns competidores da travessia de 1935.

Agora observe esta fotografia do rio Tietê nos dias de hoje.

Trecho do encontro entre os rios Tietê e Aricanduva, no município de São Paulo, no estado de São Paulo, em 2012.

1 Que mudanças ocorreram no rio Tietê?

_____

_____

2 Na sua opinião, por que hoje em dia não ocorrem competições esportivas no rio Tietê? `ORAL`

3 Onde você acha que as competições aquáticas passaram a ocorrer? `ORAL`

4 Façam uma pesquisa para obter respostas para estas questões. `GRUPO`

a) No município onde você mora acontecem competições esportivas que são realizadas há bastante tempo? Se acontecem, quais são?

b) Onde essas competições são realizadas? Procurem saber se mudaram de lugar e por que isso ocorreu.

c) No município ou bairro onde você mora há práticas esportivas gratuitas para as crianças? Se sim, onde são realizadas?

■ Com as informações pesquisadas, façam um calendário para ser fixado no mural da escola.

79

QUAL É A PEGADA?
áreas verdes

Vamos fazer um piquenique?

Antigamente, um dos programas preferidos das crianças e suas famílias, em muitos lugares do Brasil, era o piquenique. As pessoas se reuniam em áreas verdes para brincar, conversar, caminhar e levavam alimentos para serem divididos entre todos. Hoje em dia, há pessoas que ainda fazem piquenique. Observe a fotografia.

Piquenique do Amor, realizado no município de Belo Horizonte, no estado de Minas Gerais, na Praça do Papa, em 2013.

1. Na sua opinião, por que o piquenique não é muito comum hoje em dia?

ORAL

2. Você e as pessoas que conhece costumam fazer piqueniques ou passeios ao ar livre? Comente.

Veja algumas sugestões para um piquenique que faz bem para as pessoas e para o meio ambiente.

✔ Combinar com o grupo a quantidade de comida a ser levada, para não sobrar nem faltar.

✔ Levar copos e pratos que possam ser reutilizados e não deixar lixo espalhado no lugar.

✔ Acondicionar os alimentos adequadamente, para que não estraguem. Levar uma toalha de mesa. E não há problema se a toalha não for xadrez ou se você não tiver uma cesta. O importante é se divertir e preservar o meio ambiente!

✔ Dar preferência a lanches e pratos feitos em casa. Os alimentos industrializados não são tão saudáveis, e as embalagens aumentam a quantidade de lixo.

3. Faça uma pesquisa sobre outras atividades de lazer que podem promover o contato com a natureza e a preservação do ambiente. Depois, com os colegas, montem um painel com as informações pesquisadas. Se vocês acharem uma boa ideia, combinem com o professor um piquenique ou outra atividade pesquisada.

81

UNIDADE 6

Preservação do ambiente na cidade

Vista aérea da cidade de Osaka, no Japão, em 2014.

Converse com os colegas e o professor sobre as questões.

1. Qual é o nome da cidade retratada na fotografia e em qual país ela está localizada?

2. Que problema ambiental está sendo retratado nessa fotografia?

3. Cite outros dois problemas ambientais que podem ocorrer nas cidades.

Capítulo 1
O lixo

Observe a imagem, leia a legenda e converse com os colegas e o professor sobre as questões.

Essa imagem reproduz uma cena do filme *Wall-E* (direção de Andrew Stanton, Estados Unidos, 2008). Wall-E é um robô e o único habitante do planeta Terra. Ele tem a missão de compactar a enorme quantidade de lixo deixada pelos seres humanos, que abandonaram o planeta e foram viver em uma nave espacial para fugir da poluição.

1. O lugar representado na imagem é no campo ou na cidade?

2. Por que não há pessoas nesse lugar?

3. Qual é a função do Wall-E?

4. Na opinião de vocês, a história do filme pode se tornar real? Por que vocês acham isso?

A quantidade e o acúmulo de lixo são um grande problema de várias cidades do Brasil e do mundo.

O acúmulo de lixo nas ruas e calçadas provoca mau cheiro e atrai insetos e outros animais, muitos deles transmissores de doenças. O lixo também pode entupir bueiros, provocando alagamento nas ruas, ou ainda se depositar em córregos e rios, poluindo suas águas.

> **Bueiro**: cano ou tubo localizado na sarjeta das ruas que coleta a água das chuvas e a água utilizada para lavar quintais e calçadas.

Por isso, a coleta de lixo e a varrição de ruas são muito importantes. Observe as fotografias.

O lixo coletado geralmente é colocado em caminhões especiais. Coleta de lixo em Salvador, estado da Bahia, em 2014.

Varredores de rua em Belém, no estado do Pará, em 2014.

5. Que serviços foram retratados nas fotografias?
_____
_____

6. No lugar onde você mora, há esses serviços? Se houver, você acha que o número de vezes em que acontecem é suficiente? Converse sobre isso com um adulto que mora com você e escreva a resposta.
_____
_____

7. Cada um de nós pode contribuir para produzir menos lixo e evitar que ele se acumule em ruas e calçadas. Converse com dois colegas e façam um desenho, em uma folha à parte, para mostrar suas sugestões.

Destinos do lixo

Depois de recolhido, o lixo tem diferentes destinos. Observe alguns deles.

Lixões: são terrenos onde o lixo é depositado a céu aberto, ou seja, ao ar livre. O lixo acumulado nesses lugares causa a poluição do solo e da água e produz um cheiro desagradável.

Aterros sanitários: terrenos onde o lixo é depositado, compactado e enterrado.

Incineração: queima do lixo, que ocorre em grandes fornos.

Compostagem: transformação do lixo orgânico em adubo.

No Brasil, grande parte do lixo coletado pelas prefeituras vai para os lixões. Na fotografia, lixão em Brasília, no Distrito Federal, em 2011.

Lixo orgânico: lixo formado por restos de alimentos, galhos e folhas de árvores.

Incineradores de lixo em Haverton Hill, Inglaterra, em 2013.

Aterro dos Bandeirantes, localizado na Rodovia dos Bandeirantes, no estado de São Paulo, em 2012.

Preparação de composteiras, na Universidade Federal da Paraíba, em 2011.

Coleta seletiva: separação dos materiais que podem ser reciclados, como papel, vidro, metal e plástico.

Programa de coleta e triagem de materiais recicláveis no município de São Paulo, no estado de São Paulo, em 2011.

8. Uma das formas de diminuir a quantidade de lixo é a reciclagem. Para isso, é preciso fazer a coleta seletiva. Na coleta seletiva, a separação do lixo deve ser feita de acordo com o tipo de material.

■ Ligue cada lixeira ao tipo de material que deve ser depositado nela.

Capítulo 2
A poluição nas cidades

Na sua opinião, que tipos de poluição ocorrem nas cidades brasileiras? E no município onde você mora, que tipos de poluição você observa?

ORAL

A poluição ocorre quando são lançados nos ambientes lixo, gases tóxicos, esgoto, produtos químicos e outros materiais nocivos à saúde e que contaminam os elementos naturais, como o ar e a água.

Nocivo: que causa dano, que prejudica.

Poluição do ar

Nas cidades brasileiras, a **poluição do ar** é provocada principalmente pelos gases lançados pelos veículos motorizados (carros, caminhões, ônibus e motocicletas) e pelas indústrias.

A poluição do ar provoca doenças respiratórias e irritação nos olhos e na garganta das pessoas.

Para ajudar a controlar a contaminação do ar, em alguns municípios há a inspeção anual de veículos, que verifica se os poluentes lançados estão dentro do que é permitido por lei.

Caminhão sobre a ponte Cidade Jardim, no município de São Paulo, no estado de São Paulo, em 2011.

1. Observe a fotografia e responda: O que está causando a poluição do ar?

Poluição visual e sonora

Observe estas fotografias.

Vista de parte da avenida Ipiranga, no município de Porto Alegre, no estado do Rio Grande do Sul, em 2012.

Trabalhador em construção de rede de esgoto, no município de Jequitaí, no estado de Minas Gerais, em 2011.

2. Complete o texto com o número da fotografia.

Ao ver a fotografia ☐ podemos imaginar a **poluição sonora**, que é o excesso de barulho em um ambiente. A poluição sonora é geralmente causada pelo ruído de caminhões, carros, motocicletas, máquinas e obras nos prédios e nas ruas e pode provocar estresse e danos à audição das pessoas.

Na fotografia ☐, vemos a **poluição visual**, que pode ser resultado de grande quantidade de placas, faixas, cartazes, telões e painéis eletrônicos, além de excesso de fios de eletricidade e telefônicos, pichações e falta de manutenção das construções. Esses elementos provocam cansaço visual e irritação nas pessoas.

3. No lugar onde você vive, há poluição visual e sonora? Se houver, conte aos colegas como esses tipos de poluição afetam você, seus vizinhos e a paisagem. Na sua opinião, como o problema poderia ser resolvido?

ORAL

Poluição da água

Observe a fotografia.

Vista de parte do canal do Arruda, no município de Recife, no estado de Pernambuco, em 2012.

4. Que problema é mostrado na fotografia?

_____

A **poluição da água** de rios e mares é causada principalmente pelo despejo de lixo e esgoto sem tratamento na água.

O esgoto é formado por dejetos vindos de residências, indústrias e estabelecimentos comerciais. No esgoto, há substâncias nocivas ao ambiente e aos seres vivos. Observe novamente a fotografia.

5. Na sua opinião, por que o esgoto precisa ser tratado antes de ser despejado nos rios, córregos e mares?

ORAL

Para chegar à estação de tratamento, o esgoto é transportado por uma rede de canos e tubos subterrâneos conectados. Vista aérea da estação de tratamento de esgoto Nova Aldeinha, no município de Carapicuíba, no estado de São Paulo, em 2011.

6. Observe a fotografia. Depois pinte o quadro que contém a informação que corresponde a ela.

Esgoto a céu aberto no município de São Vicente, no estado de São Paulo, em 2012.

| Nesse lugar, o esgoto é coletado e tratado. | Nesse lugar, não há coleta de esgoto; a água suja corre a céu aberto, isto é, ao ar livre. |

Além de não jogar lixo em córregos, rios e mares, é importante tomar cuidado com o que é jogado nas pias e nos ralos das moradias. O óleo de cozinha, por exemplo, entope os encanamentos.

Lançado em rios, o óleo se deposita e se acumula na superfície das águas, dificultando a entrada da luz necessária aos seres vivos aquáticos.

7. Existem rios ou córregos poluídos no lugar onde você mora? Por que isso acontece e o que os moradores e o governo estão fazendo ou poderiam fazer para resolver esse problema? Façam uma pesquisa e apresentem a informação em um cartaz.

GRUPO

91

Atividades

1. Observe a fotografia e responda às questões.

Rodovia no município de Florianópolis, no estado de Santa Catarina, em 2013.

a) A fotografia mostra um problema que ocorre em muitas cidades. Que problema é esse?

_____

b) Como esse problema poderia ser resolvido?

_____
_____

c) Que consequências o lixo acumulado pode trazer para o ambiente e para as pessoas?

_____
_____
_____

d) Na sua opinião, que atitudes as pessoas podem tomar para produzir menos lixo?

_____
_____

2. Depois de coletado, quais são os possíveis destinos do lixo?

_____

_____

3. Quais destinos do lixo podem provocar a poluição do solo e do ar?

_____

_____

4. Observe a imagem.

a) O que significam esses símbolos e cores?

_____

_____

b) Quais os principais materiais que podem ser reciclados?

_____

_____

5. Em grupo, façam uma pesquisa sobre a importância da coleta seletiva e da reciclagem. Para a pesquisa, usem estas questões:

a) Por que é importante reciclar ou reaproveitar materiais?

b) No município onde vocês moram, há coleta seletiva?

c) De que maneira vocês e as pessoas que moram com vocês podem contribuir para diminuir a quantidade de lixo da moradia?

- Registrem o resultado da pesquisa em uma folha à parte e contem para os colegas e o professor. Depois, pode ser feita a produção de um texto coletivo.

6. Preencha os quadrinhos com o número correspondente ao tipo de poluição.

1. Poluição das águas
2. Poluição sonora
3. Poluição do ar
4. Poluição visual

☐ Lançamento de fumaça e gases pelas indústrias e pelos veículos.

☐ Excesso de placas, faixas, painéis eletrônicos, entre outros elementos.

☐ Excesso de barulho promovido por veículos, construções, estabelecimentos comerciais, entre outros.

☐ Lançamento de lixo e esgoto sem tratamento nos rios e córregos.

7. Observe a charge que foi feita para lembrar o Dia Mundial da Água.

Charge *Dia Mundial da Água*, de Fernando Bastos. Disponível em: <http://blogs.ocponline.com.br/blogs/noticia.php?id=25&idnoticia=264>. Acesso em: maio de 2014.

a) Que problema foi retratado na charge?

_____

b) Na sua opinião, o peixe ficou feliz com os "presentes"? Por quê?

_____

_____

c) Criem uma charge sobre um dos tipos de poluição estudados. Desenhem a charge em uma folha à parte para expor em sala de aula.

8. Todos nós podemos contribuir para resolver os problemas do lugar onde vivemos. Ligue o problema à solução.

Problemas

Soluções

REGULE O MOTOR DO SEU CARRO   PREFIRA EMBALAGENS RECICLÁVEIS   NÃO USE APARELHOS BARULHENTOS

Turma da Mônica: Ecologia Urbana. Disponível em: <http://picasaweb.google.com/amfmotta/TurmaDaMonicaEcologiaUrbana#5399905852922823362>. Acesso em: maio de 2014.

9. O que você e seus familiares podem fazer para ajudar a não poluir a água de rios e mares? Converse com uma pessoa que mora com você sobre esse assunto e registre a resposta.

_____

_____

_____

Ampliando horizontes...

site

Akatu Mirim. Disponível em: <www.akatumirim.org.br>. Acesso em: junho de 2014.

O *site* tem brincadeiras, jogos e vídeos com muitas sugestões e informações sobre como cada um de nós pode ajudar a preservar o meio ambiente.

filme

Turma da Mônica: Um plano para salvar o planeta, direção de Mauricio de Sousa. Brasil, 2011. Disponível em: <www.youtube.com/watch?v=fTk5SNMRKTs>. Acesso em: março de 2015.

O filme apresenta os principais problemas ambientais no planeta Terra.

95

rede de ideias

Tipos de poluição

1 Leia um trecho da música e faça as atividades abaixo.

Rap da poluição

Pó, pó, pó, poluição
Pó, pó, pó, poluição
A água contaminada
não está com nada, não
Morre peixe, traz doença
pra toda população
Pó, pó, pó, poluição
Pó, pó, pó, poluição
Quando o ar fica bem sujo
Vem problema de pulmão
A pele fica coçando
É alergia de montão
Pó, pó, pó, poluição
Pó, pó, pó, poluição
A poluição do solo
contamina os alimentos
empobrece toda a terra
produção vira um tormento

Disponível em: <www.plenarinho.gov.br/noticias/agencia_plenarinho/rap-da-poluicao/>. Acesso em: março de 2015.

a) Que tipos de poluição a música descreve? **ORAL**

b) Circule, na letra da música, os problemas causados pela poluição.

c) Façam um desenho para ilustrar um dos trechos da música. Depois, mostrem o desenho aos outros colegas de sala e identifiquem qual trecho cada uma das outras duplas desenhou. **DUPLA**

2 A música citada na página ao lado é um *rap*. Leia um texto sobre esse tipo de música.

História do RAP

Criado nos Estados Unidos, o *rap* – uma abreviação para *rhythm and poetry* (ritmo e poesia) – é um gênero musical nascido entre negros e caracterizado pelo ritmo acelerado e pela melodia bastante singular. As longas letras são quase recitadas e tratam em geral de questões cotidianas da comunidade negra, servindo-se muitas vezes das gírias [...]. Chegou ao Brasil na década de 80. [...]

Disponível em: <www.wooz.org.br/musicarap.htm>. Acesso em: março de 2015.

a) Circule no texto o nome do país onde surgiu o *rap*.

b) Pinte o trecho do texto que descreve as características desse gênero musical.

3 Criem uma música sobre outros tipos de poluição. Vocês poderão usar o *rap* ou outros gêneros musicais, como o samba, o *rock*, o forró, entre outros. Depois, apresentem as músicas para os colegas e o professor.

UNIDADE 7

Preservação do ambiente no campo

Queimada no Parque Indígena do Xingu, no estado de Mato Grosso, em 2012.

Renato Soares/Pulsar Imagens

Converse com os colegas e o professor sobre as questões.

1. Que problema foi retratado na fotografia? Em que lugar ocorreu?

2. Que tipo de poluição você acha que esse problema pode provocar?

3. Cite outros dois problemas ambientais que podem ocorrer no campo.

Capítulo 1

A poluição no campo

Muitas pessoas pensam que a poluição é um problema que ocorre apenas nas cidades. Mas também existe poluição no campo. Você sabe o que pode causar a poluição da água no campo, por exemplo?

ORAL

Leia a notícia.

[...] o agrotóxico usado em larga escala nas fazendas de Mato Grosso pode ser o responsável direto pela grande mortandade de peixes no Rio Araguaia e também no Rio das Mortes. Moradores dos municípios próximos se dizem preocupados com a grande quantidade de peixes que estão boiando nos dois rios. [...]

Agrotóxico: qualquer produto químico usado para combater ou prevenir contra pragas ou doenças nas plantações.

Disponível em: <www.24horasnews.com.br/noticias/ver/agroteoacutexicos-usados-em-fazendas-matam-peixes-em-rios-do-araguaia.html> Acesso em: março de 2015.

1. Pinte o quadro que indica o tipo de poluição citado na notícia.

- Poluição sonora
- Poluição do solo
- Poluição das águas
- Poluição do ar

2. Pinte as respostas na notícia, de acordo com a legenda.

🟥 O que pode ter provocado a poluição nos rios?

🟦 O que a poluição dos rios causou?

Produtos químicos têm sido muito utilizados no campo. Além dos agrotóxicos, são usados os fertilizantes.

Fertilizantes: produtos aplicados no solo para torná-lo mais fértil.

O uso de agrotóxicos e fertilizantes em grande quantidade e sem cuidados contamina o ambiente e prejudica a saúde das pessoas e dos animais. Observe a figura.

Agrotóxicos e fertilizantes infiltram-se no solo e atingem as águas subterrâneas, contaminando-as. Os produtos podem ser levados pela água das chuvas e atingir córregos, rios e lagos. Caso os agricultores não estejam bem protegidos e entrem em contato com esses produtos, podem ter sérios problemas de saúde.

3. A figura mostra a infiltração de fertilizante em quais elementos naturais?

_____

Há áreas agrícolas que usam técnicas alternativas para não prejudicar o ambiente e a saúde das pessoas. No lugar de fertilizantes e agrotóxicos, por exemplo, são utilizados **biofertilizantes**, que são produzidos com espécies vegetais, esterco, minerais, entre outros materiais.

Plantação onde são usados biofertilizantes, na Ilha dos Marinheiros, no município de Rio Grande, no estado do Rio Grande do Sul, em 2013.

4. Procure saber se produtos sem agrotóxicos podem ser encontrados facilmente no lugar onde você mora. Registre as informações em uma folha à parte.

Capítulo 2
Desmatamento e solo

O que pode acontecer quando ocorre a retirada de uma grande quantidade de árvores de uma área?

ORAL

O **desmatamento** é a derrubada da vegetação para retirada de madeira, construção de moradias e estradas, plantação de produtos agrícolas e criação de animais, entre outras atividades.

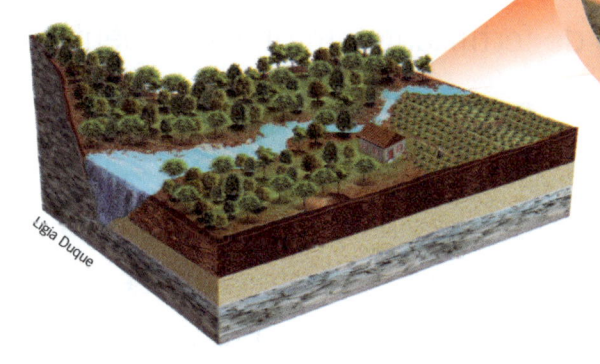

Vista aérea de plantação em meio a aérea devastada da mata Atlântica, no município de Alumínio, no estado de São Paulo, em 2011.

Desmatamento e erosão

Com o desmatamento, o solo (terra) fica exposto e pode ocorrer a **erosão**. Erosão é o desgaste do solo, provocado principalmente pela ação das águas das chuvas.

Erosão, no município de Alegre, no estado do Espírito Santo, em 2010.

102

Assoreamento

Sem a vegetação, o solo fica desprotegido e escorre com as chuvas, podendo se depositar no fundo de rios e lagos. É o que se chama **assoreamento**. Com isso, as águas têm menos espaço para correr, já que o leito do rio fica menor. Com o assoreamento podem ocorrer enchentes e dificuldades para a navegação. Observe a imagem.

Assoreamento do rio Paraíba, no município de Teresina, no estado do Piauí, em 2012.

Empobrecimento do solo

Com a retirada da vegetação, ocorre o **empobrecimento do solo**. Isso acontece porque o solo deixa de ter restos de folhas, frutas e troncos de árvores e arbustos que trazem nutrientes para ele. O empobrecimento do solo também ocorre devido à ação da água das chuvas, que "lavam" o solo exposto, carregando os nutrientes.

Empobrecimento do solo causado pelo uso intensivo da agricultura e pela ação dos ventos e das chuvas, no município de Manoel Viana, no estado do Rio Grande do Sul, em 2012.

Atividades

1. Observe a fotografia.

Trator pulverizando agrotóxico em plantação de melancia no município de Teixeira de Freitas, no estado da Bahia, em 2010.

a) Que produto está sendo lançado sobre a plantação? Por que esse produto é usado?

_____

_____

b) Que problemas podem ocorrer com a ação retratada?

_____

_____

2. O desmatamento causa muitos problemas ao meio ambiente. Relacione o problema à explicação de como ocorre.

a) Assoreamento **b)** Empobrecimento do solo **c)** Erosão

☐ Sem as plantas, os restos de folhas, frutas e troncos deixam de cair no solo. Assim, o solo perde os nutrientes necessários para as plantas se desenvolverem.

☐ Sem as plantas para proteger o solo, a água das chuvas (principalmente) causa seu desgaste, ou seja, a força das águas leva parte do solo.

☐ O solo que escorre por causa da erosão é levado pelas águas das chuvas e acumula-se no fundo de rios e córregos.

3. Observe a tirinha e faça as atividades.

a) Chico Bento e Zé Lelé são personagens que vivem no campo. Chico Bento disse que está plantando um "pé de esperança". Na sua opinião, o que ele quis dizer com isso?

_____

_____

b) Qual problema ambiental foi retratado na tirinha?

_____

_____

c) Por que ocorre desmatamento nas áreas rurais?

_____

_____

Ampliando horizontes...

livro

Produtos orgânicos: o olho do consumidor, de Ziraldo, Ministério de Agricultura, Pecuária e Abastecimento. Disponível em: www.redezero.org/cartilha-produtos-organicos.pdf>. Acesso em: março de 2015.

O livro traz muitas informações e ilustrações sobre produtos orgânicos.

vídeo

Consciente coletivo – Episódio 2. Instituto Akatu, Canal Futura e HP do Brasil. Disponível em: <www.akatu.org.br>. Acesso em: março de 2015.

O vídeo mostra que aquilo que comemos pode afetar o meio ambiente.

rede de ideias

O desmatamento e a extinção de animais

1 Leia os textos e observe a imagem.

Blu e Jade são as ararinhas-azuis do filme *Rio*. A ararinha-azul não é mais encontrada na natureza e só não desapareceu totalmente porque existem cerca de 80 delas sendo criadas em cativeiro, em vários países.

Blu e Jade em cena do filme *Rio* (direção de Carlos Saldanha. Brasil/Estados Unidos, 2011). O filme conta a história de Blu, uma ararinha-azul macho que é levada à cidade do Rio de Janeiro para se acasalar com a última fêmea de ararinha-azul e assim preservar a espécie.

O hábitat natural da ararinha-azul, ou seja, o ambiente natural onde ela vive, é a caatinga, tipo de vegetação que ocorre em estados do Nordeste como Bahia e Pernambuco. Na fotografia, vista de paisagem do município de Curaçá, no estado da Bahia, em 2012, local onde vem sendo desenvolvido um projeto de reintrodução da espécie em seu hábitat natural.

2 Na sua opinião, por que a ararinha-azul quase foi extinta? **ORAL**

O desmatamento é um dos principais motivos que levou a ararinha-azul a quase ser extinta.

A vegetação garantia para esses animais alimento e locais para que se abrigassem e fizessem seus ninhos. Observe as fotografias ao lado.

Atualmente, no Brasil, as ararinhas-azuis criadas em cativeiro estão sendo preparadas para voltar ao seu hábitat natural.

Observe a fotografia abaixo.

Um dos alimentos das ararinhas-azuis é o licuri, planta típica da Caatinga. Fotografia de 2014.

O cacto-facheiro é usado pela ararinha-azul para fazer seu ninho. Na fotografia, cacto-facheiro no sítio arqueológico de Alcobaça (Parque Nacional do Catimbau), no município de Buíque, no estado de Pernambuco, em 2010.

Ararinhas-azuis em cativeiro no zoológico de São Paulo, no estado de São Paulo, em 2011.

3 Explique, com suas palavras, por que a conservação da caatinga é importante para que a ararinha-azul volte a viver na natureza.

_____
_____
_____

4 Você sabe de onde vem a palavra "arara"? Leia o texto.

A palavra *ararinha* é um diminutivo em português da palavra arara, cuja origem é indígena. Os indígenas podem ter criado o nome arara devido à voz de algumas espécies, que emitem um som parecido com "ará". Mas arara pode ter surgido também a partir da abreviação da palavra guirá ("pássaro"), que virou ará. Arara seria então o aumentativo de ará, indicando um "pássaro grande", já que algumas espécies de araras têm grande tamanho.

Fonte: *Ciência hoje das crianças*. Disponível em: <http://chc.cienciahoje.uol.com.br/o-azul-que-sumiu-do-ceu>. Acesso em: março de 2015.

Ararinha-azul.

a) Marque um **X** na(s) frase(s) correta(s) sobre o texto.

☐ O texto explica a origem dos nomes "ararinha" e "arara".

☐ O texto descreve os hábitos da ararinha-azul.

☐ De acordo com o texto, a palavra "arara" tem origem indígena.

b) O texto apresenta duas explicações para a origem do nome arara. Escreva no quadro as duas explicações na ordem em que aparecem.

Primeira explicação	Segunda explicação

c) Muitos outros nomes de animais têm origem indígena. Faça uma pesquisa na internet, em livros ou revistas especializadas para descobrir alguns desses animais e o significado de seu nome. Registre as informações em uma folha à parte.

5 Faça uma pesquisa sobre um animal que corre risco de extinção devido ao desmatamento no hábitat onde vive. Você pode consultar *sites*, livros, jornais, revistas, entre outros. Depois, responda às perguntas sobre o animal pesquisado.

a) Qual é o nome do animal pesquisado?

_____

b) Qual é o hábitat natural dele? Onde se localiza?

_____

_____

c) Como é a paisagem do hábitat natural?

_____

_____

d) O que causou, ou ainda causa, a destruição do hábitat natural?

_____

_____

_____

e) O que está sendo feito para evitar a extinção da espécie?

_____

_____

_____

_____

f) Em uma folha à parte, cole uma fotografia do animal que você pesquisou e outra do hábitat natural dele. Escreva uma legenda para cada fotografia e, se possível, o lugar e o ano em que elas foram tiradas. Apresente o resultado da sua pesquisa para o professor e os colegas.

QUAL É A PEGADA?
preservação

A tecnologia e o combate ao desmatamento

Observe as imagens e leia a notícia na página ao lado para realizar as atividades.

Ricardo Teles/Pulsar Imagens

Índios Suruí, da aldeia Lapetanha, no município de Cacoal, no estado de Rondônia, em 2012, tirando fotografias das áreas desmatadas para auxiliar no combate ao crime ambiental.

Fonte: Disponível em: <www.newsrondonia.com.br/noticias/usamos+gps+para+trabalhar+estudar+e+conservar+a+floresta+diz+lider+indigena+em+entrevista+ao+jornal+oglobo+no+rio+de+janeiro/19137>. Acesso em: março de 2015.

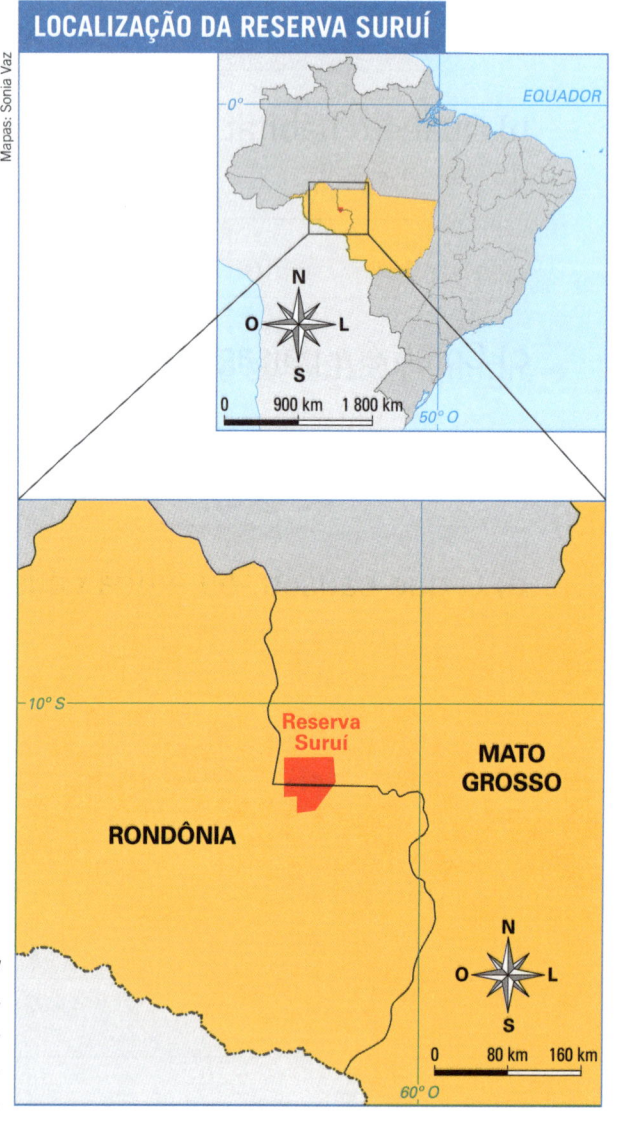

LOCALIZAÇÃO DA RESERVA SURUÍ

Mapas: Sonia Vaz

1. Sublinhe na notícia o trecho que explica como a tecnologia ajuda os Suruí a combater o desmatamento.

2. Em que estados brasileiros a Reserva Suruí está localizada?

Líder indígena brasileiro ganha prêmio "Herói da Floresta" da ONU

[...] Líder dos índios paiter suruí, Almir criou diferentes iniciativas para proteger e desenvolver a Terra Indígena Sete de Setembro, em Rondônia, onde mora.

O projeto mais conhecido usa a internet para valorizar a cultura de seu povo e combater o desmatamento ilegal. A partir de uma parceria com o Google e algumas ONGs, os suruí colocaram à disposição dos usuários da rede um "mapa cultural" que dá informações sobre sua cultura e história.

Eles também usam telefones celulares para tirar fotos da derrubada ilegal de floresta, determinando com o GPS o local exato do crime ambiental e enviando denúncias a autoridades competentes. [...]

Almir Narayamoga, líder da comunidade Suruí.

ONG: sigla para "organização não governamental". Trata-se de organização que não faz parte do governo nem tem interesse em lucrar. Seu trabalho está relacionado, por exemplo, à preservação do meio ambiente e à melhoria das condições de vida das pessoas.

Fonte: G1. Disponível em: <http://g1.globo.com/natureza/noticia/2013/04/lider-indigena-brasileiro-ganha-premio-heroi-da-floresta-da-onu.html>. Acesso em: março de 2015.

3. Na sua opinião, a internet pode nos ajudar a conhecer a cultura dos Suruí? Converse sobre isso com o professor e os colegas.

4. Faça uma pesquisa sobre a importância da preservação das florestas para os povos indígenas que nelas vivem. Apresente os resultados para o professor e os colegas para a produção de um texto coletivo.

UNIDADE 8

Os serviços públicos

Maquete representando partes de três bairros.

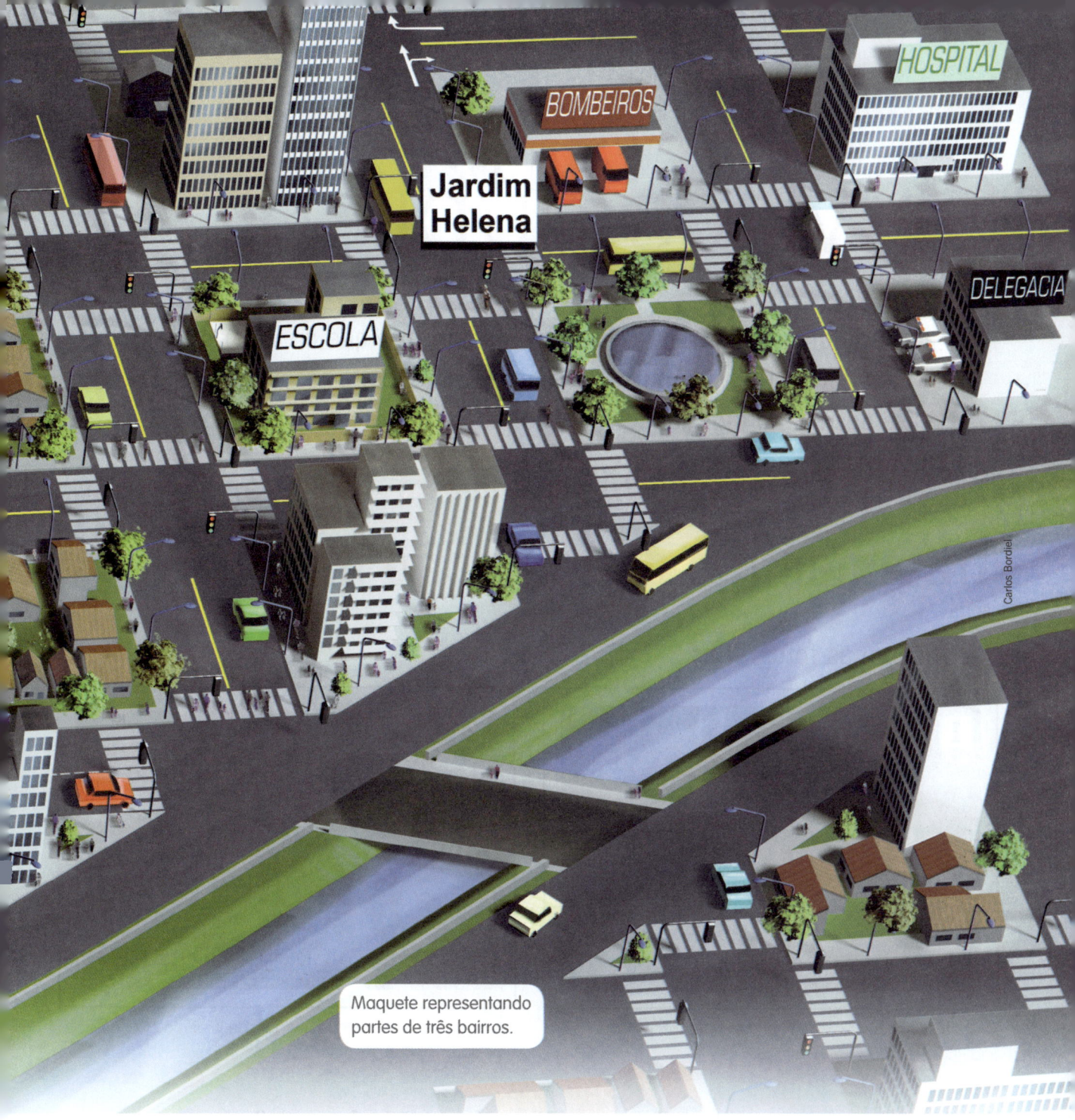

Converse com os colegas e com o professor sobre as questões.

1. Fale algumas diferenças entre o Jardim América, a Vila Ipê e o Jardim Helena.

2. Em qual desses lugares há mais serviços, como escolas, hospitais e transporte público?

3. Na sua opinião, por que esses serviços são importantes?

Capítulo 1
Serviços públicos

Para que as pessoas vivam bem, é importante que no lugar onde moram haja serviços públicos, como coleta de lixo e escola pública, entre outros. No lugar onde você mora há esses e outros serviços públicos?

ORAL

Tratamento e distribuição da água

Observe as fotografias.

Residência no município de Piratininga, no estado de São Paulo, em 2013.

Açude da Pedra Mole, no município de Vitória da Conquista, no estado da Bahia, em 2011.

1. O que as pessoas retratadas nas fotografias estão fazendo?

_____

_____

2. Pinte a moldura da fotografia em que a água parece ter sido tratada.

3. Em quais atividades você e sua família utilizam água? Faça uma lista no caderno.

4. Na opinião de vocês, como as pessoas que não têm água tratada e encanada em suas moradias conseguem água para o consumo? **ORAL**

5. Observe o caminho que a água percorre desde o momento em que é recolhida da natureza até ser tratada e chegar ao consumidor. Complete os quadrinhos da ilustração com os números, de acordo com os textos.

O caminho da água

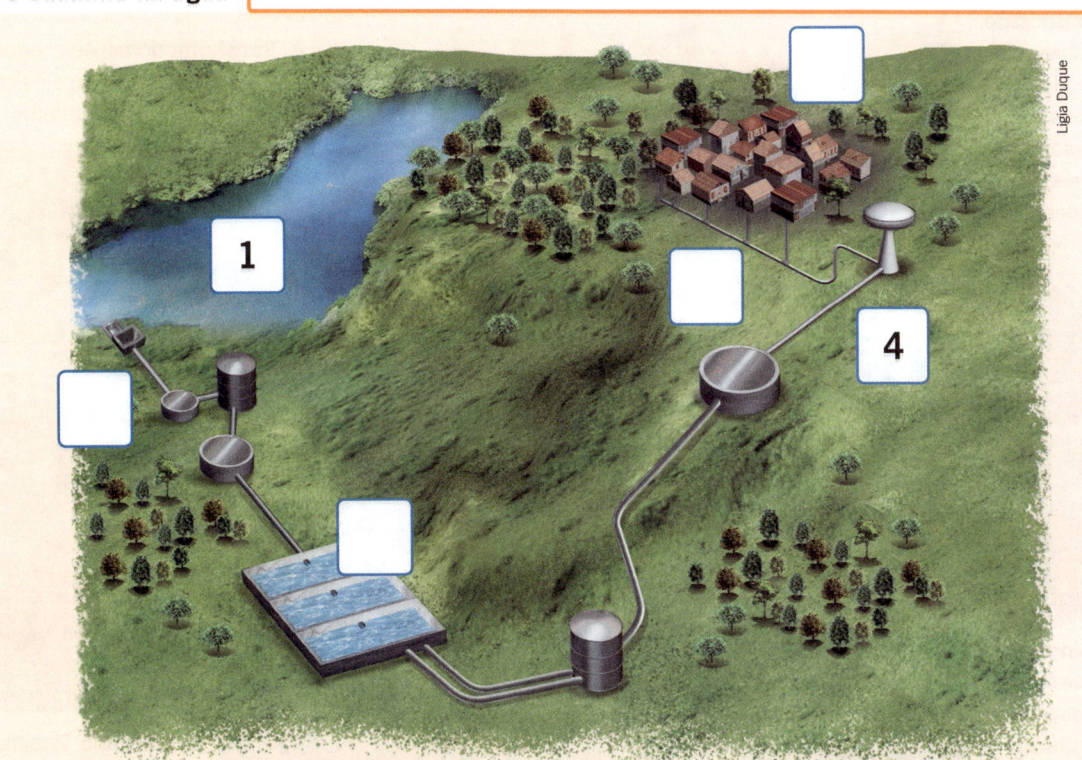

Fonte: Companhia de Saneamento Básico do Estado de São Paulo (Sabesp).

1. Grande parte da água é retirada dos rios e das represas.
2. A água é retirada por bombas e canos.
3. A água é tratada em grandes tanques para eliminar as impurezas.
4. A água é armazenada em reservatórios.
5. Depois, é distribuída por uma rede de canos subterrâneos.
6. Finalmente chega às moradias, às escolas, aos hospitais, entre outros estabelecimentos.

Impureza: aquilo que não é puro; sujeira.

6. Cite três atitudes que as pessoas podem ter para economizar água. **ORAL**

Fornecimento de energia elétrica

Assistir à televisão, usar o computador, tomar banho quentinho, ouvir música. Para realizar essas atividades, quase sempre é preciso energia elétrica.

No Brasil, a energia elétrica vem principalmente das hidrelétricas e, para chegar ao consumidor, percorre um longo caminho. Observe.

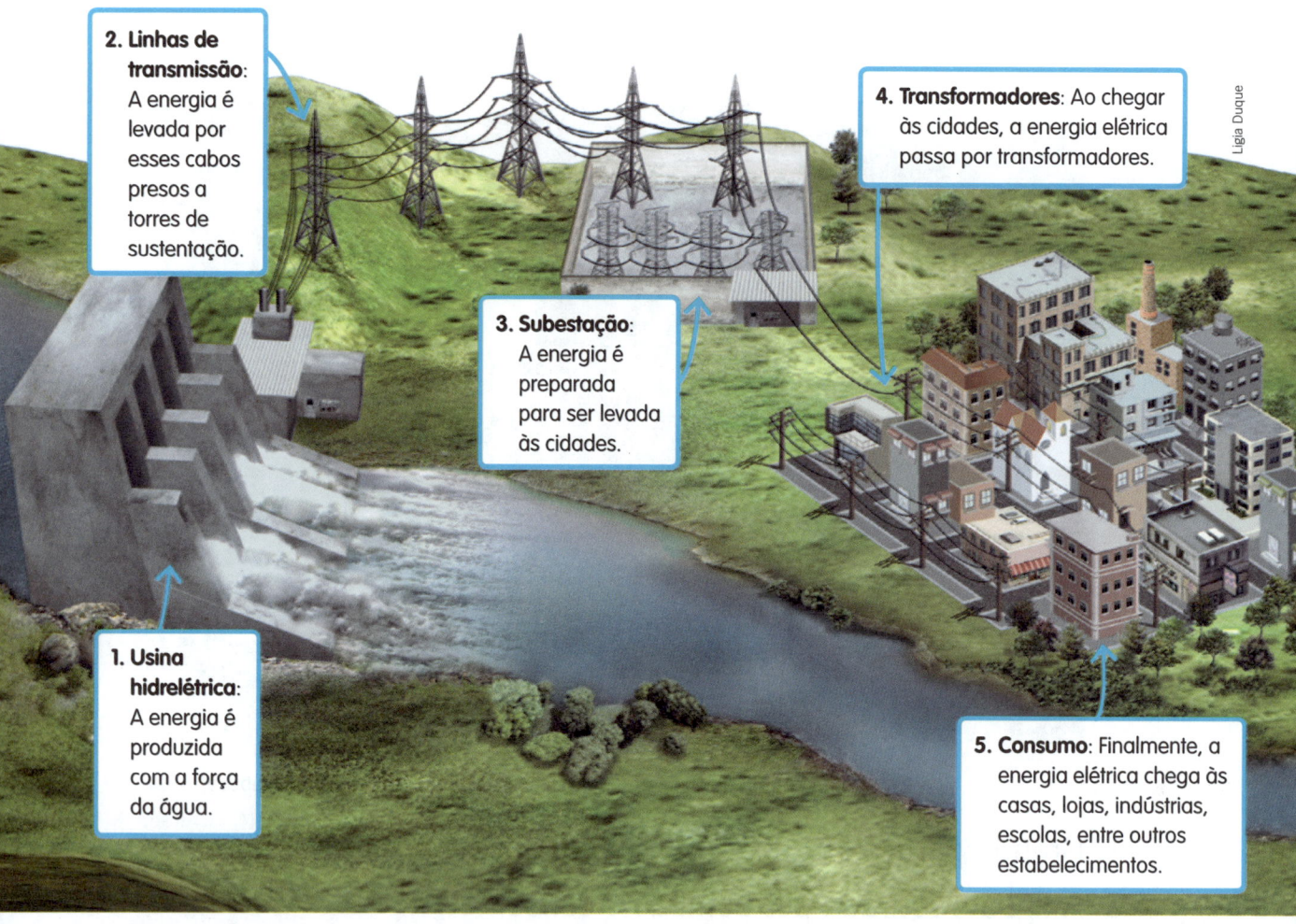

2. Linhas de transmissão: A energia é levada por esses cabos presos a torres de sustentação.

3. Subestação: A energia é preparada para ser levada às cidades.

4. Transformadores: Ao chegar às cidades, a energia elétrica passa por transformadores.

1. Usina hidrelétrica: A energia é produzida com a força da água.

5. Consumo: Finalmente, a energia elétrica chega às casas, lojas, indústrias, escolas, entre outros estabelecimentos.

Ligia Duque

Esquema representando a transmissão da energia elétrica gerada pelas usinas hidrelétricas até chegar ao consumidor final.

7. Pensem no dia a dia de vocês e nos lugares por onde passam. Depois, escrevam os usos que vocês e outras pessoas fazem da energia elétrica. **DUPLA**

116

Saúde pública

No Brasil, todas as pessoas têm direito ao serviço de saúde pública. Observe exemplos desse serviço.

Nos **hospitais públicos** a população tem o direito de realizar consultas médicas, internações, cirurgias, entre outros serviços. Na fotografia, fachada do Hospital das Clínicas no município de Capanema, no estado do Pará, em 2013.

Em alguns bairros, a comunidade é assistida por **agentes de saúde**. Eles visitam as casas e orientam as pessoas a cuidar melhor da sua saúde e da limpeza de suas moradias, por exemplo. Na fotografia, agente de saúde em visita a residência no município de Belo Horizonte, no estado de Minas Gerais, em 2012, examina recipientes que podem ser foco de proliferação do *Aedes aegypti*, o mosquito transmissor da dengue.

Os **postos de saúde** são unidades de atendimento menores do que os hospitais públicos e geralmente tratam de casos mais simples. Também fornecem consultas médicas, remédios e aplicam vacinas. Na fotografia, posto de saúde no município de São Paulo, no estado de São Paulo, em 2012.

8. No bairro ou no município onde você mora há esses ou outros serviços de saúde? Converse com o professor e os colegas sobre isso.

Capítulo 2

Quem paga pelos serviços públicos?

> Você já ouviu dizer que são os próprios cidadãos que pagam pelos serviços públicos? Como você acha que isso acontece? **ORAL**

Para fornecer os serviços públicos, os governos cobram impostos e taxas da população. Com o dinheiro arrecadado, os governos constroem escolas e hospitais, por exemplo, e pagam o salário de seus funcionários, entre outros gastos.

Veja uma guia de recolhimento do Imposto Predial Territorial Urbano, mais conhecido como IPTU.

Guia de recolhimento: documento em que há informações sobre o imposto a ser pago.

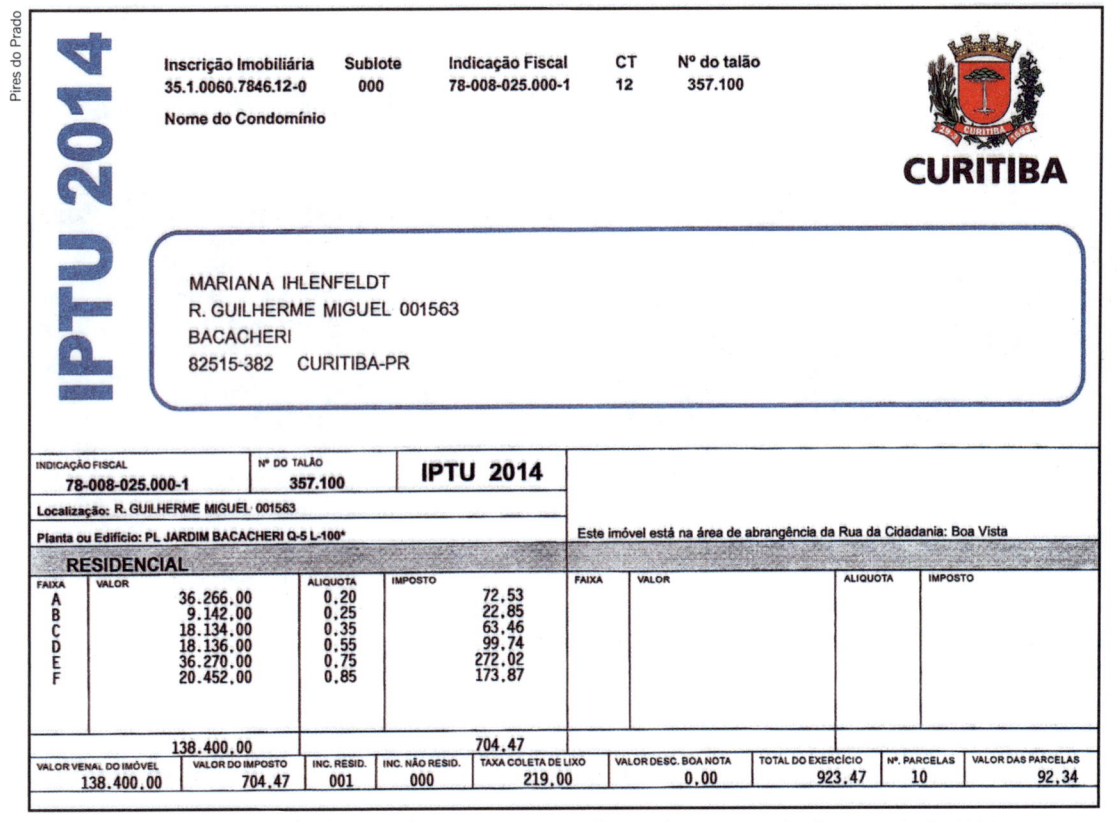

Guia de recolhimento do IPTU de moradora do município de Curitiba, no estado do Paraná, de 2014.

No município onde você mora, a cada ano, é cobrado o Imposto Predial Territorial Urbano (IPTU). Esse imposto é pago pela maior parte dos donos de terrenos, casas, apartamentos ou qualquer outra construção localizada nas cidades.

Observe novamente a guia de recolhimento do IPTU, na página ao lado, e faça as atividades.

1. Circule o nome do imposto e o ano ao qual se refere.

2. O nome do município aparece em destaque na guia de recolhimento. Que município é esse?

_____

3. Pinte de amarelo o nome da proprietária do imóvel e o endereço dela.

4. O imóvel é uma residência, ou seja, uma moradia. Então, ele é do tipo:

a) ☐ comercial.　　　　b) ☐ residencial.

Já os moradores do campo pagam o Imposto Territorial Rural (ITR), que é cobrado dos proprietários de fazendas, sítios e chácaras.

Para alguns serviços, como o fornecimento de energia elétrica e água tratada, os governos também cobram tarifas mensais, de acordo com o consumo.

5. Pergunte a um adulto se ele paga impostos. Pergunte também se ele sabe em que os recursos desses impostos são utilizados. Anote as informações e apresente para os colegas e o professor.

_____

_____

_____

_____

6. Observe esta fatura e depois faça as atividades.

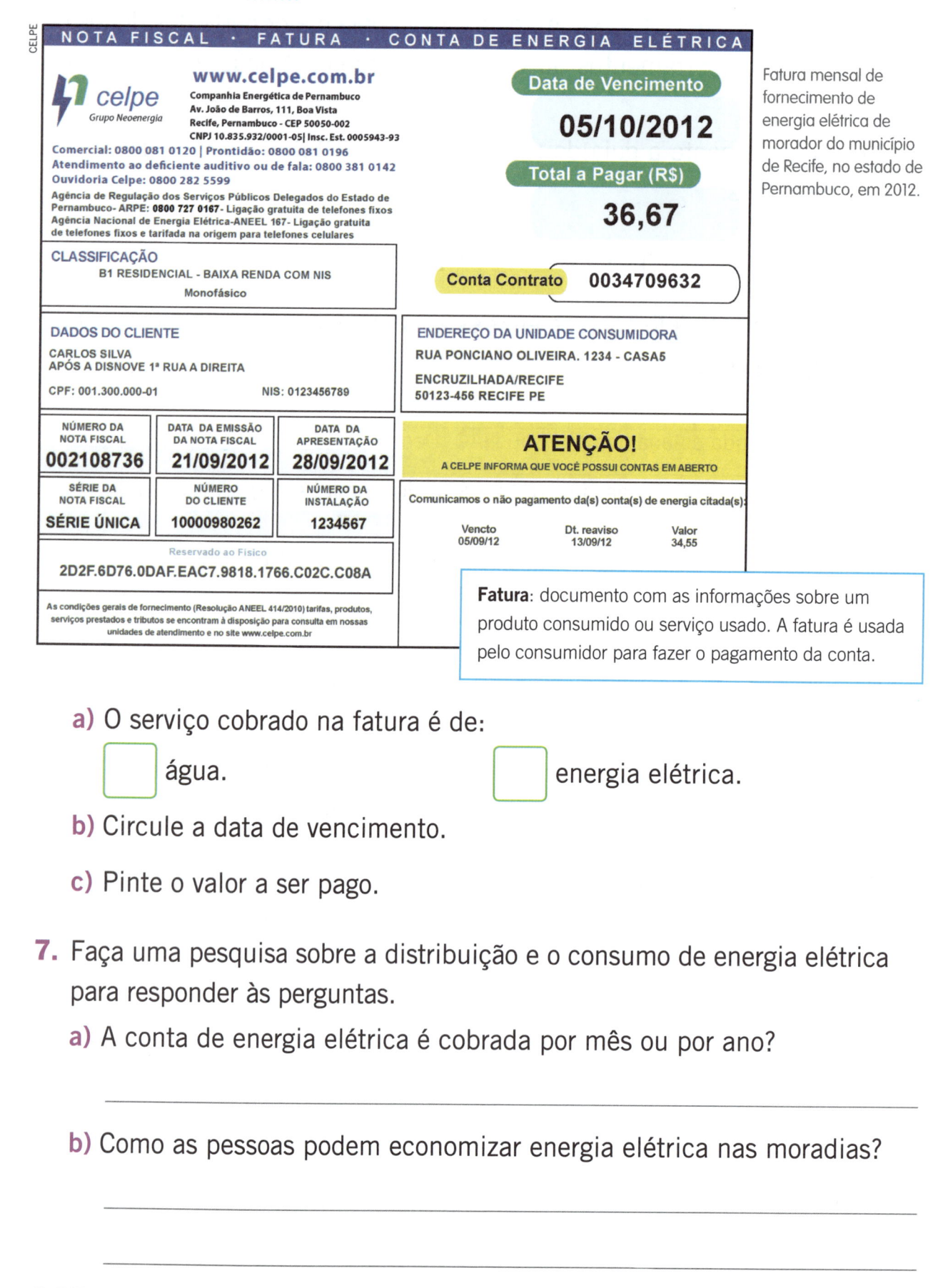

[Fatura da CELPE - Companhia Energética de Pernambuco]

- Data de Vencimento: 05/10/2012
- Total a Pagar (R$): 36,67
- Conta Contrato: 0034709632
- Classificação: B1 RESIDENCIAL - BAIXA RENDA COM NIS - Monofásico
- Dados do Cliente: CARLOS SILVA, APÓS A DISNOVE 1ª RUA A DIREITA, CPF: 001.300.000-01, NIS: 0123456789
- Endereço da Unidade Consumidora: RUA PONCIANO OLIVEIRA, 1234 - CASA 5, ENCRUZILHADA/RECIFE, 50123-456 RECIFE PE
- Número da Nota Fiscal: 002108736
- Data da Emissão da Nota Fiscal: 21/09/2012
- Data da Apresentação: 28/09/2012
- Série da Nota Fiscal: SÉRIE ÚNICA
- Número do Cliente: 10000980262
- Número da Instalação: 1234567

Fatura mensal de fornecimento de energia elétrica de morador do município de Recife, no estado de Pernambuco, em 2012.

Fatura: documento com as informações sobre um produto consumido ou serviço usado. A fatura é usada pelo consumidor para fazer o pagamento da conta.

a) O serviço cobrado na fatura é de:

☐ água.   ☐ energia elétrica.

b) Circule a data de vencimento.

c) Pinte o valor a ser pago.

7. Faça uma pesquisa sobre a distribuição e o consumo de energia elétrica para responder às perguntas.

a) A conta de energia elétrica é cobrada por mês ou por ano?

_____

b) Como as pessoas podem economizar energia elétrica nas moradias?

_____

Gente que faz!

Os serviços públicos no lugar onde moro

O que as pessoas acham dos serviços públicos do lugar onde você mora? Para descobrir, siga as etapas.

Etapa 1

Entreviste uma pessoa que mora no seu bairro ou município. Para isso, use a ficha da página 3 do **Material Complementar**.

Etapa 2

Leia cada serviço para o entrevistado e vá preenchendo a ficha. Para cada serviço, complete a segunda coluna com SIM ou NÃO. Depois, desenhe na terceira coluna a "carinha" de acordo com a legenda. Cole a ficha no caderno.

Etapa 3

Responda a estas questões de acordo com a opinião do entrevistado.

a) Quais são os melhores serviços públicos que existem no lugar onde você mora?

___

b) E quais são os piores serviços públicos?

___

c) Falta algum serviço público no lugar onde você mora? Se sim, qual?

___

Etapa 4

Converse com os colegas e o professor sobre as perguntas.

a) Quais serviços públicos os entrevistados apontaram como os melhores? E quais foram considerados os piores?

b) Todos concordam com a maioria dos entrevistados?

Atividades

1. Observe atentamente a fotografia e faça as atividades.

Agentes indígenas de saúde em visita à aldeia Maturacá, no município de São Gabriel da Cachoeira, no estado do Amazonas, em 2010.

a) Complete o nome do serviço público retratado na fotografia.

S ____ ____ ____ E   P ____ ____ ____ ____ ____ A

b) Por que o trabalho do agente de saúde é importante?

_____

_____

2. Encontre o nome de alguns dos serviços públicos que existem no Brasil.

S	E	X	A	U	T	S	E	G	U	R	A	N	Ç	A	O
A	P	O	K	Q	E	V	O	L	B	R	T	I	O	Z	R
Ú	A	E	W	E	D	U	C	A	Ç	Ã	O	Y	U	I	L
D	C	O	L	E	T	A	D	E	L	I	X	O	X	C	V
E	N	B	X	E	U	E	A	Z	C	F	J	Y	W	T	O
P	L	I	M	P	E	Z	A	D	E	R	U	A	S	K	A

122

3. De onde vem o dinheiro para o fornecimento dos serviços públicos?

_____

_____

_____

4. Complete as frases com as palavras dos quadros.

a) Os _____ são pagos pela própria população por meio dos _____ recolhidos pelos _____. O IPTU é um exemplo de imposto recolhido pela prefeitura.

| governos | impostos | serviços públicos |

b) O IPTU é um imposto pago pelos proprietários de imóveis localizados _____ e o ITR se refere aos imóveis localizados _____.

| no campo | na cidade |

Ampliando horizontes...

música

Água! Vamos economizar!, de Márcio Araújo. Intérprete: Turma da Mônica. Disponível em: <http://letras.mus.br/turma-da-monica/1000313>. Acesso em: março de 2015.

Essa música, cantada pela Turma da Mônica, dá sugestões de como economizar água. No *site* há também um divertido clipe da música.

vídeo

De onde vem a energia elétrica? Disponível em TV Escola: <www.youtube.com/watch?v=GJChpyiP--Y>. Acesso em: março de 2015.

Nesse vídeo, a personagem Kika aprende como é produzida e distribuída a energia elétrica.

rede de ideias

Serviços públicos no Brasil

1 Observe a fotografia.

a) Que serviço público será fornecido para a comunidade ribeirinha de Novo Airão?

_____

b) Na sua opinião, como esse serviço vai melhorar a vida das pessoas?

_____

_____

_____

Miniusina que produz energia elétrica com o calor do sol, em comunidade ribeirinha do município de Novo Airão, no estado do Amazonas, em 2013.

Comunidade ribeirinha: comunidade que vive perto de rio e o utiliza em muitas de suas atividades. Existem ribeirinhos por todo o Brasil. Eles vivem da pesca e praticam a agricultura familiar.

2 Observe a tabela.

Brasil: serviços públicos – 2011	% de moradias
Iluminação elétrica	99
Rede de abastecimento de água	85
Coleta de lixo	89
Rede coletora de esgoto	55

Fonte: Disponível em: <ftp://ftp.ibge.gov.br/Trabalho_e_Rendimento/Pesquisa_Nacional_por_Amostra_de_Domicilios_anual/2011/tabelas_pdf/sintese_ind_6_3.pdf>. Acesso em: março de 2015.

De acordo com os dados da tabela, verificamos que, em 2011, de cada 100 moradias do Brasil:

- 99 tinham luz elétrica.
- 85 tinham água encanada com rede de distribuição.
- 89 tinham lixo coletado.
- 55 tinham coleta de esgoto.

Agora, visualize esses dados em um gráfico e faça as atividades.

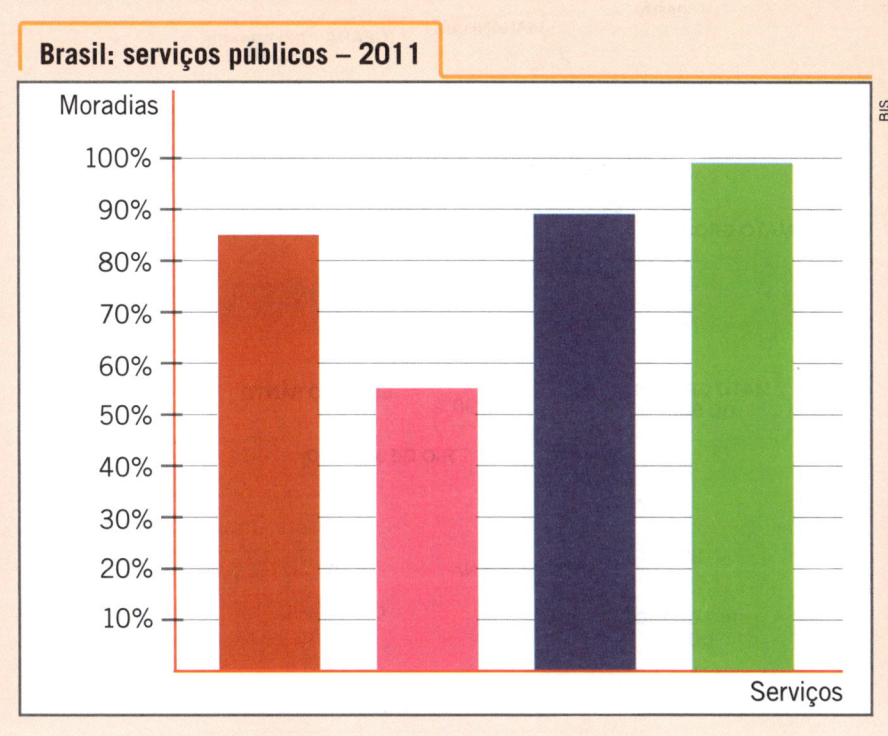

Brasil: serviços públicos – 2011

Fonte: IBGE. Disponível em: <ftp://ftp.ibge.gov.br/Trabalho_e_Rendimento/Pesquisa_Nacional_por_Amostra_de_Domicilios_anual/2011/tabelas_pdf/sintese_ind_6_3.pdf>. Acesso em: março de 2015.

a) Observe novamente a tabela e identifique o serviço ao qual corresponde cada coluna do gráfico. Escreva na legenda o serviço correspondente a cada cor.

b) Qual serviço atendia a mais domicílios no Brasil em 2011?

c) E qual serviço atendia a menos domicílios?

125

3 Observe o mapa. Nele, o Brasil está dividido em estados e regiões.

BRASIL – Distribuição da água tratada por região (2010)

Região Norte
Região Nordeste
Região Centro-Oeste
Região Sudeste
Região Sul

Fonte: Resultados preliminares do universo do Censo Demográfico 2010.

a) Circule o estado onde você mora.

b) A qual região ele pertence?

c) Escreva o nome dos outros estados que formam a região onde você mora.

4) O mapa da página ao lado apresenta dados sobre a rede de distribuição de água no Brasil. Na região Norte, por exemplo, a cada 100 moradias, 54 têm abastecimento de água encanada.

a) Preencha a tabela de acordo com os dados do mapa.

Brasil: moradias abastecidas pela rede de distribuição de água (a cada 100 moradias) – 2010	
Norte	54
Nordeste	
Centro-Oeste	
Sudeste	
Sul	

b) Em qual região há mais moradias que fazem parte da rede de distribuição de água?

_____

c) Na sua região, a cada 100 moradias, quantas são atendidas pela rede de abastecimento de água?

_____

_____

d) Comparando as regiões brasileiras, podemos dizer que há desigualdade em relação ao abastecimento de água? Observe os dados da tabela e registre suas conclusões.

_____

_____

_____

_____

127

5 No estado onde você mora, há comunidades ou bairros que não têm serviços públicos? Quais? Assinale com um **X**.

Coleta de lixo.	☐ Sim	☐ Não
Coleta de esgoto.	☐ Sim	☐ Não
Abastecimento de água.	☐ Sim	☐ Não
Fornecimento de energia elétrica.	☐ Sim	☐ Não
Limpeza das ruas.	☐ Sim	☐ Não
Serviço público de saúde.	☐ Sim	☐ Não
Segurança pública.	☐ Sim	☐ Não
Transporte público.	☐ Sim	☐ Não

6 Faça uma pesquisa sobre os problemas que a falta desses serviços causa à saúde das pessoas e ao desenvolvimento das atividades que realizam no dia a dia.

Depois, troque ideias com os colegas e com o professor sobre o que descobriu em sua pesquisa. Discutam também o que pode ser feito para que esses lugares sejam atendidos por esses serviços. Registre suas conclusões.

___
___
___
___
___